Accords perdus
À corps perdu

Gil Gajean

Accords perdus
À corps perdu
Roman

LE LYS BLEU
ÉDITIONS

ISBN : 979-10-422-1977-2

Préface

Êtes-vous capable d'accepter tout ce que la vie vous réserve ?

Êtes-vous capable d'accepter la vérité ?

Êtes-vous réellement et tout simplement capable de voir la vérité ?

Êtes-vous prêt à changer de vie ?

La vie nous révèle toujours une face cachée de notre personnalité, de notre vérité, de notre réalité, de nos proches, de nos parents, et pourtant, sans le savoir, nous sommes capables d'appréhender un avenir bouleversé par des évènements incontrôlés.

Quand un être humain détient votre vie entre ses mains, seule votre âme reste intouchable et incontrôlable, votre réflexion vous empêche d'y croire. Pourtant, c'est la seule branche à laquelle vous pourrez vous accrocher ! Juste un conseil, ne la perdez jamais de vue !

1
First Lady

Gabriel Declerc sourit quand il s'engage dans l'avenue de Suffren. Il ouvre légèrement la fenêtre de sa portière afin d'entendre le ronronnement de sa Gran Turismo S. Il adore le bruit sourd du V8 de sa belle voiture italienne au trident dont le moteur résonne contre les parois des immeubles haussmanniens de ce quartier bourgeois. Il observe avec ravissement le haut de la tour Eiffel de couleur or qui apparaît entre chaque contre-allée de cette magnifique avenue. Paris n'a plus aucun secret pour lui, il en est imprégné, il aime cette ville aux mille couleurs, et à l'ambiance si particulière, identifiable parmi tant d'autres. Gaby aime Paris, il respire Paris, il bouge Paris, il goûte Paris, tous ses sens sont alimentés par les vibrations de cette ville. Il aime se déplacer le soir à la tombée du jour, quand l'éclairage public s'allume et transforme la capitale en ville lumière. Il adore le calme des rues des arrondissements huppés, la lumière chaude des lampadaires. L'éclairage des Bateaux-Mouches qui font découvrir à des millions de touristes la beauté de la Seine et ses monuments le long des quais, remplissant ainsi les cœurs des amoureux en quête du bonheur éternel.

Gaby sourit, Gaby jubile, il est encore très étonné d'avoir reçu la semaine dernière cette invitation du membre F624 de First Lady.

First Lady est une agence de rencontres libertines ultra-sélecte pour les personnes aisées de la capitale et autres villes du monde. Une agence où la discrétion est le maître mot, une sorte de secte de la fornication, au sein de laquelle les femmes sont les seules à avoir la main sur les prises de rendez-vous et à pouvoir accéder aux profils des membres. Le droit d'adhésion dépasse les quinze mille euros, auxquels s'ajoutent des cotisations mensuelles de mille euros, vous êtes acceptés sur dossier, ce qui constitue automatiquement une sélection dans la catégorie sociale des adhérents. Les clauses de confidentialités sont rédigées par une agence juridique très intransigeante qui établit et fait signer les contrats. Les adhérents s'engagent à ne rien divulguer de cette organisation, de ne jamais citer les noms des membres qu'ils rencontrent, seuls les numéros des membres sont nommés. La plupart des membres sont des personnes mariées, des célébrités politiques, médiatiques ou industrielles. Les prises de rendez-vous pour des rencontres sont exclusivement réservées aux femmes, elles envoient une invitation aux hommes qu'elles désirent rencontrer. L'homme qui reçoit l'invitation accède alors au profil de son hôtesse. Sans nom ni photos, juste une description physique, une tranche d'âge, mais surtout, il accède aux avis et aux notes attribuées par les autres membres qui l'ont déjà rencontrée. Aucune vulgarité ni indication sur la personne ne sont tolérées, seules des couleurs sont attribuées aux critères de beauté, convivialité, intellect, sensualité et bien sûr, sexualité. Les couleurs proposées varient de rouge, orange, bleu, vert, rose, et le top de la couleur est l'or. Le service informatique de First Lady filtre systématiquement tous les commentaires déposés par le membre afin d'en contrôler le contenu.

Quand Gaby a reçu l'invitation de F624, le profil afficha : « La quarantaine, intelligente, sportive, fine et très belle, mais surtout, la couleur représentant F624 était l'OR. »

Gaby a déjà été convié par un profil « rose » ce qui est bien, mais or, c'est exceptionnel et il n'avait encore jamais reçu une telle invitation.

Les hôtesses ont parfaitement le choix de continuer ou pas le rendez-vous. Les invités doivent demander l'autorisation de rester quand ils sont reçus. Les règles sont très strictes sur la politesse et la convivialité, si un membre ne les respecte pas, il est exclu immédiatement du système, le contrat est rompu et le membre est supprimé des bases de données. Personne n'accepterait d'être radié et de se voir bannir l'accès à cette société secrète. First Lady est une organisation bien rodée dont le siège social se trouve dans un paradis fiscal à l'abri des obligations administratives françaises, ce qui garantit ainsi le secret sur l'identité de ses membres.

Gaby sourit en passant devant l'hôtel Pullman de l'avenue de Suffren, il aperçoit des touristes qui attendent leur taxi avec des valises, l'air triste de quitter la capitale française.

Gaby est un très bel homme de trente-trois ans, séduisant, du haut de son mètre quatre-vingt, il arbore une gueule d'ange avec un regard vert et une toison ondulée brune, il plaît beaucoup aux femmes. Il n'a pas vraiment besoin de l'agence pour séduire et coucher avec des personnes du sexe féminin. Mais cette formule, même si elle est onéreuse, lui permet des rencontres éphémères sans obligations ni devoirs dans un milieu social inaccessible pour un homme lambda. Son profil est, selon des sources, bien noté par les adhérentes ayant déjà passé la soirée ou la nuit avec lui. Mieux vous êtes noté, et plus vous recevez des invitations de rendez-vous haut de gamme.

Gaby se gare à proximité de l'hôtel Pullman, persuadé que sa rencontre avec F624 aura lieu dans l'une des chambres de cet hôtel. Ce n'est pas la première fois qu'il vient pour une rencontre ici, car First Lady possède des chambres à l'année dans de nombreux hôtels et les met à disposition pour ses plus fidèles membres. Il observe sa montre et constate qu'il est un peu en avance, il en profite pour regarder ses mails ainsi que son agenda et jette un œil sur ses rendez-vous de demain.

Rendez-vous comptable 9 h

Déjeuner Sofiane 12 h 30

15 h 30 M. Ramsès vente SHELBY.

Gaby déjeune une fois par mois avec Sofiane, c'est toujours un bon moment, Sofiane a été son premier client quand il a racheté la concession, et au fil du temps, c'est devenu un ami. Gaby est assez solitaire et a très peu de proches, juste des relations, qu'il ne considère pas comme des amis.

21 h précise, Gaby envoie un message à F624 via l'application First Lady.

H1166 : Bonsoir, je suis au point de rendez-vous.

Au bout de quelques instants :

F624 : Bonsoir, très bien, veuillez vous présenter au 32 ter de l'avenue de Suffren, il y a une porte cochère verte, vous tapez le code A18B, troisième maison sur la droite, je vous attends.

Gaby est très surpris de la réponse, ce n'est pas à l'hôtel, et il ne comprend pas cette histoire de maison, qui y a-t-il donc derrière cette porte cochère ? Il coupe le contact de sa voiture, se regarde dans la glace de courtoisie afin de s'assurer qu'il soit présentable, pas de nourriture entre les dents. Il prend sa bouteille de parfum, Arsène Lupin de Guerlain, et s'en vaporise légèrement dans son cou. Il sort de son coupé sport et se dirige vers l'adresse indiquée dans le message.

Il tape le code A18B et entend le grésillement de la gâche libérant le portillon, une fois passé la porte cochère, Gaby n'en croit pas ses yeux. Ce n'est pas l'entrée d'un immeuble, mais une petite rue composée de maisons mitoyennes de style anglais et de vieux ateliers d'artisans avec des façades en verrière de l'époque Eiffel. Il imagine le maréchal-ferrant, le menuisier ou l'ébéniste qui opérait ici il y a un siècle et tout cela à deux pas de la tour Eiffel. Bien sûr, des locaux aujourd'hui transformés en loft à plus de quinze mille euros le mètre carré.

Gaby s'engage dans cette ruelle, émerveillé par le calme et la sérénité de cet endroit magique qui le transporte dans le Paris des années 1920. Il se présente à la porte de la troisième maison, il passe un petit portillon sur un carré de jardin avec une table et une chaise de jardin et sonne à la porte.

Quand la porte s'ouvre, Gabriel reconnaît immédiatement la femme qui l'accueille, elle se présente dans un legging noir et un crop top rose, en sueur.

— Excusez-moi, je suis désolée, mais je n'ai pas vu l'heure, j'étais en train de courir sur mon tapis de course quand j'ai reçu votre message, je vous en prie, entrez.

Effectivement, elle est vraiment très belle, et déjà très sexy dans sa tenue de sport. F624 est un ancien top model des années 2000, elle était l'égérie de nombreux grands couturiers et a quitté les défilés de mode pour se marier avec un riche homme d'affaires américain. Elle a commencé une carrière à la télévision en animant une émission sur la mode aux États-Unis. Elle est de temps en temps l'invitée sur des talk-shows de la télévision française, ce qui expliquerait sûrement sa présence aujourd'hui à Paris.

— Ne vous excusez pas, je suis vraiment ravi de vous rencontrer.

— Faites comme chez vous, il y a du champagne dans le frigo, les coupes sont prêtes sur la table, je vais prendre une douche et je vous rejoins très rapidement.

Gaby s'exécute, il se dirige vers le frigidaire et en sort une bouteille de champagne bien fraîche. La maison est de petite taille, mais très bien agencée. Les meubles sont de bonne qualité avec un design épuré sans fautes de goût.

Il se dirige vers le coin salon, pose la bouteille sur la table basse et jette un œil sur la bibliothèque. Généralement, le contenu des bibliothèques vous donne beaucoup d'informations sur la personnalité des occupants du lieu. Gaby adore observer, il y découvre des livres sur la mode, « normal », mais également sur l'art et les peintres d'impressionnistes. Mais surtout, il remarque que l'intégralité des romans de Jean-Christophe Grangé est présente sur une des étagères. Il est lui-même adepte de cet écrivain, il attend toujours avec impatience la sortie de son nouveau roman, déjà un point commun avec son hôtesse. Il sourit en pensant que si l'affinité ne se crée pas, ils auront au moins un sujet de conversation. Il aperçoit également au mur une petite toile de Philippe Pasqua, un portrait d'enfant plus exactement, sûrement le sien. Pasqua est un peintre sculpteur que Gaby admire beaucoup. Il a découvert ses œuvres un jour à Monaco quand l'artiste avait fait une exposition à l'aquarium pour dénoncer la pollution des océans. Il est immédiatement tombé amoureux de son art, et il adore observer quelques instants lors de ses promenades les quais, le squelette de dinosaure sculpté par Pasqua exposé à proximité des Bateaux-Mouches du pont de l'Alma.

Gaby espère avoir un jour la chance de s'offrir une de ses œuvres, en particulier une vanité aux papillons, une sculpture représentant une tête de mort avec des papillons posés sur le crâne.

Il remarque un ouvrage plus gros et plus usé que les autres, il s'en empare, c'est une encyclopédie sur le transfert de l'âme humaine et animale, les *walk-ins*, Gaby ignorait que ça portait un nom.

— Désolée de vous avoir fait attendre.

Gaby, surpris dans ses pensées, se retourne, et découvre F624 debout à deux mètres de lui, elle est habillée uniquement d'une légère robe courte, laissant apparaître des jambes interminables et un décolleté à en perdre l'équilibre. Sa longue chevelure noire encore humide frôle légèrement son visage et fait ressortir ses grands yeux bleus en forme d'amande se finissant par de légères ridules en pattes d'oie, ce qui signe le charme d'une femme approchant la quarantaine.

— Je vois que nous avons les mêmes goûts littéraires et artistiques. Mais je découvre cette théorie du transfert de l'âme, j'ignorais qu'elle existait ! dit-il tout penaud en lui montrant le livre qu'il tient dans la main.

— Je m'y intéresse, j'ai fait la thèse de mon doctorat sur ce sujet, c'est très intéressant. Il faut juste avoir un esprit libre et ouvert, mais vous n'avez toujours pas servi le champagne et je commence à avoir soif.

Gaby saisit la bouteille, l'ouvre délicatement et remplit les deux coupes posées sur la table.

— J'adore votre déco, bredouille Gaby. C'est votre fille sur le portrait de Pasqua ?

— Connaisseur à ce que je vois !

— J'adore cet artiste.

— Effectivement, il est très sympa, précise F624.

— Vous le connaissez personnellement ?

— C'est un ami, je le connais depuis plus de vingt ans, j'ai pu assister à son ascension dans le monde de l'art.

— J'adore également votre maison, elle est surprenante.

— Merci, j'ai acquis ce bien il y a une quinzaine d'années, je suis tombée amoureuse de l'endroit à la seconde où j'ai passé le portail. Quand j'ai quitté la France, je n'ai pas pu le vendre, et je ne regrette pas. C'est devenu un lieu de ressourcement pour moi, comme un sanctuaire, c'est toujours un plaisir de le retrouver à chacune de mes visites en France.

— Et vous revenez régulièrement ?

— Environ tous les deux mois.

— Merci pour votre invitation, je suis réellement flatté.

— Ne le soyez pas, votre profil et votre notation sont très vendeurs, dit-elle en clignant de l'œil.

— Vous savez très bien que je n'ai pas accès à ma notation !

— C'est vrai, mais j'avoue avoir été influencée par une amie qui vous a rencontré à plusieurs reprises, elle m'a fortement conseillé de vous contacter.

Gaby respecte les règles de cette organisation, et ne demande pas de quelle amie il s'agit.

— N'oubliez pas de la remercier de ma part !

— Depuis combien de temps êtes-vous membre ? demande F624.

— Depuis un peu plus d'un an, c'est un ami qui m'a parlé de cette organisation. J'ai trouvé le concept intéressant, et mis à part le côté « sexe », chaque rencontre est différente. Il y a cette poussée d'adrénaline quand on reçoit l'invitation, la découverte de l'autre personne, que ça matche ou pas, c'est à chaque fois une expérience unique. Et vous, comment êtes-vous devenue membre ?

— Cela va vous étonner, mais c'est mon mari qui m'a inscrite à First Lady. Je pense que vous m'avez reconnue ?

— Oui !

— Quand j'étais sur les podiums, je recevais en permanence des invitations à des soirées dans les milieux huppés, avec des stars du cinéma, des politiciens et des hommes d'affaires. Des soirées qui souvent, la cocaïne aidant, se terminaient en assemblées libertines. C'est lors d'une de ces soirées que j'ai rencontré mon mari, un jour, l'un des participants a fait discrètement des photos et l'a menacé de les publier. Il était déjà un industriel reconnu, il a dû payer une grosse somme pour récupérer les clichés, avec toujours la crainte de copies qui refassent surface. Depuis ce jour, nous ne sommes jamais retournés dans des soirées libertines. Alors pour pouvoir assouvir nos désirs sexuels, nous sommes devenus adhérents de First Lady qui garantit discrétion et sérieux, sans risques de photos ou de fuites publiques.

F624 pose son verre sur la table basse et s'avance doucement vers Gabriel, elle pose délicatement sa main sur son visage et c'est avec une précision chirurgicale qu'elle vient lui effleurer les lèvres avec les siennes.

— On peut peut-être se tutoyer, comment je peux t'appeler ?

— Gabriel, mais tout le monde m'appelle Gaby ! Et toi ?

— Eva, comme le mannequin ! dit-elle en souriant.

Son visage n'est qu'à quelques centimètres du sien. Il peut sentir l'odeur de sa peau et le souffle de sa respiration lui caresser les joues. Elle lui ouvre doucement les boutons de sa chemise et passe sa main contre ses pectoraux, elle fait glisser sa main vers le bas de son ventre et vient effleurer du pouce son sexe. Gabriel enlace Eva avec douceur et l'embrasse longuement, leur salive se mélange, le désir se matérialise physiquement pour Gabriel, ce qui fait sourire Eva.

— Curieuse ta façon d'embrasser, mais j'aime bien et je constate que je ne te laisse pas indifférent, dit-elle en caressant son pénis dur. Viens, montons dans la chambre, dit Eva en le tirant par le bras.

— J'en conclus que je peux rester, souffle Gabriel dans l'oreille d'Eva.

À aucun moment du reste de la soirée, ils n'ont parlé de littérature !

2
Commandant Rudy Servat

La vibration du téléphone fait sursauter Rudy et le sort de son sommeil avec brutalité.

Putain fait chier, il est deux heures du mat !

— Allo !

— Boss ? C'est moi.

— Ouais, qu'est-ce que tu veux ?

— Faut que tu viennes rapidement.

— Pourquoi ?

— Homicide !

— L'adresse ?

— 17 avenue de Saxe, dans le 7e. Surtout, prends ton inhalateur et évite les mocassins !

— C'est à ce point ?

— Ouais, on patauge dans l'hémoglobine.

— Qui est déjà là ?

— La scientifique.

— OK, laisse-moi trente minutes.

Rudy est un flic à l'ancienne, un vrai grincheux aigri, toujours en costume sombre, cravate et mocassins, ce qui fait immanquablement sourire Laura, son équipière depuis trois ans. Rudy ne supporte pas l'odeur métallique du sang, la vue ne le dérange pas, mais l'odeur oui. Le sang est constitué en grande partie de globules rouges qui contiennent de l'hémoglobine, la protéine dans laquelle se trouvent des ions de fer, ce qui donne cette odeur si particulière de fer non peint. Cette odeur lui rappelle ces heures passées dans la cage d'escalier de l'immeuble des années soixante où il a grandi. Ces heures accroché à la rambarde métallique les soirs où son père rentrait ivre et le foutait dehors. Sa mère préférait le savoir dehors plutôt que d'assister aux agissements malsains d'un père alcoolisé et violent. Depuis cette période de sa vie, Rudy ne supporte plus cette odeur que vous laisse sur vos mains tout contact avec du fer, et donc, l'odeur du sang.

C'est pour ça qu'il utilise un inhalateur de poche Vicks, ça lui anesthésie le nez.

Rudy habite à Issy-les-Moulineaux, au sud de Paris. Il vit dans un appartement de trois pièces qu'il a acheté il y a huit ans, après son divorce, il apprécie la proximité de cette ville avec Paris, juste le périphérique à traverser pour entrer dans la capitale.

2 h 30, Rudy s'engage boulevard de Grenelle, un bruit strident retient son attention. Une Maserati circule dans l'autre sens, dont le bruit d'échappement est amplifié par la résonance créée par les arches du métro aérien, Rudy soupire, lui, qui vient de passer à l'électrique.

Rue de Saxe, Rudy aperçoit Laura dans les lueurs bleues des gyrophares, elle est assise sur un banc en train de fumer une cigarette, jeans, baskets, blouson cuir, look grunge comme d'habitude. Laura est une jeune femme hyperactive, du haut de son mètre soixante, elle est une inspectrice très efficace, l'esprit est vif, elle possède une faculté d'analyses très avancée. Elle est sortie première de sa promo et a pu intégrer très rapidement la Crim'. Laura est une très bonne équipière, Rudy apprécie fortement de travailler avec cette jeune femme à la frimousse pleine de taches de rousseur qui lui rappelle Marlène Jobert, une actrice française des années soixante-dix.

— Salut, alors, qu'est-ce qu'on a ?

— Natalia Ivanenko, 30 ans, russe, secrétaire dans une étude notariale.

— Cause de la mort ?

Laura le regarde dans les yeux et s'exclame :

— Décapitation !

Rudy recule d'un pas, étonné par la façon dont la victime a été tuée.

— Putain de merde !

— Le tueur a déposé la tête dans un saladier, sur la table.

— Qui a trouvé le corps ?

— Le voisin du dessus, un retraité, la porte était entrouverte, il a appelé, frappé à la porte, n'ayant pas de réponse il est entré, c'est là qu'il a trouvé le corps.

— Comment va-t-il ?

— Bof, il a été pris en charge.

— Et toi, comment vas-tu ?

— Idem, c'est dégueulasse à voir, si tu n'y vois pas d'objection, je t'attends là !

— OK, qui est là, de la scientifique ?

— Lopez, il est arrivé il y a trente minutes.

Rudy prend un air rassuré, Manuel Lopez est un ancien collègue, ils ont partagé le même service pendant plus de dix ans.

— Quel étage ?

— Troisième étage.

— Merci, attends-moi là.

Rudy se dirige vers l'entrée de l'immeuble et monte au troisième étage. Une fois devant la porte, il respire deux fois dans son inhalateur, il s'équipe de surchaussures, une charlotte sur la tête et une blouse en papier bleu mis à disposition par la scientifique et, entre dans l'appartement.

La décoration de l'appartement est agréable, avec une forte empreinte féminine, mais de bon goût. Quand il arrive dans le salon, il aperçoit immédiatement la tête de la jeune femme dans le saladier, le corps est attaché sur une chaise à deux mètres de là. Rudy est surpris par l'expression du visage et le regard de la victime, on peut lire la terreur dans ses yeux, qui sont restés ouverts.

Manuel apparaît en se relevant de derrière le canapé et sourit à Rudy.

— Bonjour commandant Servat, comment vas-tu ?

Rudy, lui rend l'expression timidement, la situation est peu propice aux courtoisies.

— Salut Manu, alors, tes premières conclusions ?

— J'estime l'heure de la mort à 22 heures, la victime a été attachée sur la chaise, un bâillon dans la bouche. D'après l'angle de découpe et la forme des traces de sang sur le mur et le plafond, l'assassin est droitier. La tête a été tranchée par une arme de type sabre, je dirais un katana[1] ou un cimeterre. Selon l'expression de la tête, elle a eu conscience de sa décapitation. Le meurtrier a dû se positionner devant elle, à bonne distance et, a fait un geste d'ajustement, juste assez pour créer une légère coupure. Après, il lui a tranché la tête d'un coup franc, schlague.

Manu mime le geste, ce qui glace Rudy.

— Un vrai pro, ce tueur. On pourra en dire plus sur l'arme quand j'aurais fait transférer le corps à l'IML[2].

— Merci Manu, mais la tête dans le saladier, c'est plutôt des méthodes de la mafia russe, pas arabe ou japonaise, or tu me parles d'un cimeterre ou d'un katana !

— Oui effectivement, mais, je suis quasiment sûr de moi, nous avons affaire à un sabre, pas un couteau de combat.

— OK, merci, tiens-moi au jus de ce que tu vas trouver.

---

[1] Katana : sabre japonais long, utilisé par les samouraïs.

[2] ILM : institut médico-légal.

— Oui commandant, répond Manu avec ironie.

Rudy décide de monter d'un étage pour interroger le témoin.

Il le trouve entouré de deux fliquettes, toujours plus rassurant pour les personnes qui ont subi un choc émotionnel.

— Bonjour Monsieur, je suis le commandant Servat, je peux vous poser quelques questions ?

— Oui je vous en prie, répond l'homme.

— Connaissiez-vous la victime ? Si oui, comment ?

— Juste une relation de voisinage, elle était très discrète et très polie. Je la croisais de temps en temps, assez rarement, car elle devait travailler la nuit, elle partait tous les soirs vers 22 heures, 22 h 30.

Drôles d'horaires pour une secrétaire d'une étude notariale, pense Rudy.

— Elle avait un compagnon ou petit ami ?

— Pas à ma connaissance, mais elle recevait dernièrement une amie, une brune, pas française, je dirais anglaise ou américaine, car elles ne parlaient pas notre langue quand elles étaient ensemble.

— Vous connaissez son nom ?

— Son nom ? Non, mais une fois en les croisant dans l'escalier, il me semble que Natalia l'a appelée Victoria.

— Merci de rester disponible, nous allons vous convoquer pour prendre votre déposition, essayez de vous reposer.

Rudy quitte l'appartement et rejoint Laura qui attend encore dehors. En passant devant l'appartement de Natalia, il aperçoit le service de la morgue en train d'emballer le corps. L'image de cette jeune femme au regard effrayé revient et lui provoque un haut-le-cœur.

Arrivé en bas de l'immeuble, il rejoint Laura, toujours assise sur le banc pour un debrief.

— Putain, quelle horreur, dit Rudy.

Laura acquiesce en grimaçant et recrachant la fumée de sa clope.

— On a quelque chose ? demande Laura.

— Pas grand-chose, le voisin m'a confié qu'elle sortait tous les soirs à la même heure, sûrement pour travailler, étonnant pour une secrétaire de notaire. Le prix d'une location d'un trois-pièces avenue de Saxe ne colle pas avec les revenus d'une secrétaire, il faudra vérifier tout ça, as-tu récupéré son ordi ou son téléphone portable ?

— Non, tout a disparu, ni ordinateur ni téléphone portable, l'assassin a dû tout embarquer.

— Demain nous irons voir son employeur, nous trouverons peut-être quelque chose sur le PC de son poste de travail. Nous ferons également visionner les caméras du quartier, il y a beaucoup d'ambassades et de ministères dans le coin, on ne sait jamais, une trace d'un suspect serait la bienvenue.

— Maintenant qu'ils ont enlevé le corps, je vais remonter dans l'appartement et essayer de trouver un document avec son adresse mail. Je demanderai à Djibril sur service info de la craquer, il est super fort pour ce genre de chose, dit Laura.

— Super idée, et après, va te reposer un peu, on se retrouve à 9 heures rue du Bastion.

Rudy monte dans sa Renault Mégane dernier cri cent pour cent électrique et reprend la direction d'Issy-les-Moulineaux.

Son esprit est troublé, il pense à sa fille Léna, qui a le même âge que la victime. Elle est partie vivre avec son copain aux États-Unis, à Chicago, elle lui manque beaucoup, la distance et le décalage horaire ne permettent pas et ne facilitent pas les liens entre un père et sa fille.

Si tout va bien, il lui rendra visite cet été.

3
Leïla et Sofiane

7 heures, Gaby ouvre les yeux, il s'étire tel un chat qui se réveille, il ne manque plus que le ronronnement. Il sort du lit et se dirige vers les toilettes, il soulage sa vessie et va se faire un café. Une fois la tasse préparée, il repense à sa soirée avec Eva, effectivement, elle mérite bien la couleur or, sûrement une de ses plus belles rencontres via First Lady.

Il regarde dehors et apprécie la vue. Gaby possède un appartement à Puteaux, au quatorzième étage d'une résidence située en bord des quais de Seine, la vue est tout simplement incroyable. On peut voir la plupart des monuments parisiens, la tour Eiffel légèrement sur la droite, l'arc de triomphe de l'Étoile en face, sur la gauche, la splendeur du Sacré-Cœur, surplombant tout Paris depuis le haut de sa colline de Montmartre. Seule tache dans le décor est cet immeuble de la nouvelle préfecture de police construit pour remplacer le Quai des Orfèvres et qui dans une forme dégradée, voire dégradante, est visible depuis tout Paris.

Gaby est né le 25 juin 1988 à Boulogne-Billancourt et a grandi à Bezons, une commune de la banlieue du sud-ouest de Paris. Fils unique, ses parents, Victor et Nadine formaient un couple charmant. Tous les deux issus de la DDASS, ils se sont rencontrés à l'âge de 15 ans dans une famille d'accueil et ne se sont plus jamais quittés, même pour leurs études. Tous les deux comptables de métier, ils ont créé à l'âge de 25 ans un petit cabinet de comptabilité à Suresnes. Gaby n'a jamais manqué de rien pendant son enfance, la seule famille qu'il avait, c'était ses parents et son oncle William, le frère de sa mère. Un militaire de carrière qui était la plupart du temps en opération extérieure et rentrait en France avec des histoires d'aventures rocambolesques que Gaby adorait écouter. Plutôt bon élève, il obtient le bac à 17 ans. Passionné par la vente, sûrement due au métier de ses parents, il intègre une école de commerce international, Paris Dauphine-PSL. Là, il devient très vite membre du BDE (bureau des étudiants) et se constitue un cercle d'amis important.

Sa vie bascule le 1er juin 2009, ses parents s'étaient offert un voyage au Brésil pour leurs trente ans de mariage, ils étaient dans le vol AF 447 appelé plus communément « le crash du Rio-Paris ».

À tout juste vingt ans, Gaby s'est retrouvé orphelin, le seul clan subsistant étant son oncle Will. Celui-ci décide de quitter les forces spéciales et de rester en France pour s'occuper de lui en attendant qu'il finisse ses études et trouve une stabilité après ce drame.

À 25 ans, son master de commerce en poche, Gaby se cherche quelque temps avant de vendre la maison familiale, et l'entreprise de ses parents au gérant en poste depuis leur mort. Avec l'argent, il investit dans cet appartement de Puteaux et s'interroge sur son avenir professionnel. C'est par hasard, en se promenant dans le 16e arrondissement à deux pas de la place Victor-Hugo qu'il repère cette concession de voitures un peu vieillotte. Il entre et rencontre Guy, le propriétaire, un vieux monsieur au grand sourire qui n'attend qu'une chose, partir à la retraite, Gaby tombe immédiatement amoureux de cet endroit et particulièrement des bolides qui y sont vendus. La concession vivote et manque de chiffre d'affaires et surtout de résultats, Gaby avec son œil neuf et un master tout frais, voit tout de suite les possibilités de développement : un emplacement de rêve et une clientèle huppée. Il décide de faire une proposition de rachat à Guy, qui accepte sans hésiter. Une fois propriétaire, il devient agent Maserati, mais surtout, il met en place un service de voitures d'occasion. Étant dans l'un des quartiers les plus chics de Paris, c'est sans difficulté qu'il se crée une clientèle et un parc de véhicules haut de gamme en portefeuille. Sa clientèle est en majorité originaire des Émirats. Ces personnes extrêmement riches acquièrent des véhicules de standing pour la durée de leurs séjours à Paris et ensuite les laissent au parking Foch prendre la poussière. Gaby s'occupe de les revendre dès leur départ, et bien sûr, leur en fournit une autre à chacun de leur retour en France. La concession est devenue aujourd'hui une adresse incontournable pour acheter ou écouler une voiture de luxe, qu'elle soit sportive, berline, limousine, SUV.

Gaby se sent bien ce matin, le soleil est au rendez-vous, comme presque tous les jours, il va courir sur l'île de Puteaux, commencer sa journée par un jogging lui fait du bien. Il se fait un jus d'orange pressée, mange une barre de céréales et prend une douche froide. Comme d'habitude, il met un short, son vieux sweat à capuche, chausse sa paire de Brooks et quitte l'appartement. Il profite de la descente en ascenseur pour mettre ses écouteurs et sélectionner sur son téléphone sa playlist, des titres pop rock des années 1990, Oasis, Blur, U2, Muse, etc.

Une fois au rez-de-chaussée, Gaby traverse le petit parc qui sépare sa résidence de la passerelle François-Coty, au design effilé et plutôt réussi. Elle a été inaugurée il y a quelques années et permet aux piétons de traverser la voie express ainsi que la Seine et atteindre directement l'île de Puteaux.

Gaby contrôle sa montre et commence son parcours habituel autour des complexes sportifs, stades de foot, terrains de tennis, piscine. Un parcours total de 7 kilomètres qui, selon les jours, il fait au rythme de 6,30, voire 6,10 (6,30 minutes au kilomètre).

Son attention est attirée par cet homme qui pratique également le footing, il est de grande taille, mais surtout, ses jambes sont trop grandes par rapport au buste, ce qui lui donne une allure de girafe. Mais ce qui l'interpelle, c'est qu'il est persuadé d'avoir déjà croisé ou aperçu cet homme à la drôle d'allure ailleurs que sur l'île. Il doit travailler dans le même quartier que lui, bref, il contrôle son temps et accélère histoire de maintenir ses performances.

De retour chez lui, Gaby prend une douche, choisi des fringues selon ses rendez-vous du jour et se fait couler un café.

Il rejoint sa voiture dans le garage souterrain de la résidence, il met le contact et savoure encore une fois le bruit du V8 qui résonne dans le parking. Tel un gamin, il met un coup de pédale d'accélérateur pour créer une résonance dans la structure toute en béton, il actionne le sélecteur de vitesses et se dirige vers la sortie. La sortie du garage donne dans une contre-allée des quais que les camions de livraison, ordures et bus empruntent en permanence, ce qui rend la sortie du sous-sol très délicate. Il faut faire attention pour ne pas être percuté par un livreur étourdi. C'est pour cette raison que la copropriété a décidé de mettre un miroir bombé au-dessus de la grande porte basculante.

Une fois sorti, il se dirige vers le pont de Puteaux, traverse la scène et emprunte l'avenue Wallace à Neuilly en direction de la porte Maillot, puis l'avenue Mahatma-Gandhi. En passant devant la fondation Vuitton – Gabriel adore cette construction en forme bateau, qui lui rappelle *La Pinta*, la caravelle de Christophe Colomb – il se dit que ce serait cool d'avoir son showroom automobile dans un tel bâtiment, mais bon…

En arrivant porte Dauphine, Gaby se rappelle ses années à l'école de commerce, il contourne la place en travaux à cause de la construction du tramway encerclant Paris sur les boulevards des maréchaux, ensuite il remonte vers l'Étoile par l'avenue Foch et tourne à droite sur l'avenue Raymond-Poincaré. Arrivé place Victor-Hugo, il emprunte la rue Mesnil et arrive face à la concession rue de Saint-Didier qui se trouve au 45. Une surface de 300 mètres carrés au rez-de-chaussée, aménagée en showroom et un atelier de réparation au sous-sol, l'accès se fait par le parking du supermarché mitoyen.

Les locaux sont trop petits pour lui, mais tellement bien situés, Gaby se gare au sous-sol et rejoint son bureau par l'escalier de service des mécaniciens.

À peine arrivé au rez-de-chaussée, son portable sonne pour indiquer la réception d'un SMS :

« Salut ma couille, pas de pouffe chez toi ce soir, grosse réunion, journée de merde, je dors chez toi. Leï »

Gaby sourit, Leïla est la sœur de Sofiane. Il y a de ça un peu plus de deux ans, Sofiane avait appelé Gaby pour le prévenir qu'il avait donné ses coordonnées à sa sœur qui cherchait une voiture (« Je te préviens, ce n'est pas un cadeau que je te fais, mais je ne veux pas qu'elle achète une merguez ». Une merguez est une voiture d'occasion au compteur trafiqué. « Donc si tu peux t'en occuper, je serais rassuré. »)

Gaby se souvient du jour de leur rencontre, il était dans son bureau quand il l'a vue arriver. Elle s'est présentée à Stéphanie, son assistante et hôtesse d'accueil, il a tout de suite remarqué l'air de famille avec Sofiane, mais surtout la beauté de Leïla. Une classe naturelle renversante, le teint doré, presque caramel, les yeux noirs, la bouche pulpeuse avec des pommettes hautes, habillée avec une grande élégance, imperméable Burberry, robe fleurie, escarpin Louboutin et cheveux noirs coiffés « effet décoiffé ». Il est immédiatement tombé sous le charme de Leïla.

Il se dirige vers l'espace d'accueil pour aller à la rencontre des deux femmes.

— Bonjour, je suis Gabriel, enchanté de vous rencontrer, vous êtes Leïla ?

— Bonjour, oui, effectivement c'est moi.

— Votre frère m'a prévenu de votre passage.

— Sofiane m'a dit que pour acheter une bonne caisse, il n'y a qu'une seule adresse à Paris, la vôtre, alors je suis là.

Gaby est étonné et même surpris par le phrasé de Leïla.

— Tout dépend de ce que vous cherchez, mais je devrais vous trouver ça !

— Une vraie voiture de keum, qui fait du bruit et envoie les chevaux, alors, ne me proposez pas une Fiat 500 Abarth ou une Mini Cooper S. Ce n'est pas une voiture d'escorte que je veux, mais une vraie caisse qu'envoie du lourd !

Gaby sourit face à cette jeune femme si charmante qui n'a aucune limite dans le verbe, et Stéphanie retourne à sa place en retenant son rire.

— Pas de soucis, c'est pour un usage occasionnel ou quotidien ?

— Quotidien, je n'achète pas une voiture pour la laisser au garage et l'utiliser que le week-end, j'habite dans l'Oise et je viens à Paris tous les jours, donc un modèle qui ronronne, mais confortable, j'aime bien celle-là, dit Leïla en montrant une GT blanche dans le hall.

— Si je peux vous conseiller, pour un usage quotidien, évitez ce genre de modèle, beaucoup trop de contraintes, peu maniables, elles sont faites pour de la route ou de la piste, pas de l'urbain. Les boîtes de vitesses sont trop fragiles, ça devient même désagréable à conduire si vous ne l'exploitez pas correctement.

— Finalement, y'a pas grand-chose dans votre boutique, dit Leïla avec humour et un sourire laissant apparaître deux fossettes jusque-là invisibles.

Gaby sourit également.

— Mon stock se trouve au parking Foch, mais je pense avoir un modèle qui vous convienne.

— Mouais, dit Leïla, tant que ce n'est pas une voiture de pouffe.

— Non, ne vous inquiétez pas, répond Gaby avec sourire, je vais vous emmener voir la voiture. C'est une Audi TT RS, noire, 400 chevaux, tout cuir, elle a deux ans et très peu de kilomètres. C'est une voiture qui a toujours été entretenue ici, je connais bien le propriétaire, il est parti aux États-Unis pour un an et a décidé de la vendre. Je pense que ce modèle pourrait vous convenir.

— OK, je vous fais confiance.

Gaby se dirige vers Stéphanie et lui demande de préparer les clés de la voiture de Monsieur Bensimon et l'informe qu'il s'absente pour présenter un modèle à la jeune femme. Stéphanie lui répond par un sourire et un clin d'œil signifiant « bonne chance », vu le comportement de la cliente. Gaby acquiesce en prenant les clés.

Pendant le trajet qui sépare la concession et le parking Foch, Gaby essaye de dompter cette tigresse agressive.

— Sofiane ne m'a pas souvent parlé de vous !

— Oui effectivement, mais je suis pareille, je n'aime pas m'exposer comme ça, mon frère m'a dit de vous faire confiance, alors !

— Il a raison, j'ai beaucoup d'affection pour votre frère, il a été un de mes premiers clients, nous avons lié, je pense, une véritable amitié, vous lui ressemblez beaucoup, en plus élégante.

— Ouais, c'est une pute qui me conseille.

Gaby prend un air surpris et la regarde avec des yeux écarquillés !

— Je suis avocate d'affaires dans une compagnie internationale en équipements pour plateformes pétrolières de forage. Je passe ma vie à rédiger et faire signer des contrats à de gros porcs d'industriels, qui, généralement, adorent se faire offrir une escorte le soir à l'hôtel. Pour des raisons de confidentialité, c'est moi qui m'occupe des prises de rendez-vous avec les filles, elles sont plutôt cool, du coup, elles me filent des fringues et des conseils vestimentaires, pas mal, non ?

— Effectivement, vu comme ça… en tout cas elles ont du goût ! dit Gaby en souriant.

— On vit dans un monde d'enfoirés. Ces gros enculés raquent une fortune pour choper un contrat et s'en foutre plein les fouilles, moi je rédige les contrats et fais tout pour sécuriser les accords. Le pire, c'est que ces connards me payent une fortune pour ce job, il paraît que je suis très bonne dans mon domaine, poursuit Leïla en souriant à son tour, et en faisant un clin d'œil à Gaby.

Malgré sa vulgarité, Gaby tombe sous le charme de la sœur de Sofiane. Arrivés au parking Foch, Gaby présente la voiture à Leïla, qui approuve le modèle sans même l'essayer.

— OK pour moi, je la prends, et le prix ?

Gaby, toujours admiratif de sa cliente, et surtout, sœur de Sofiane, décide de lui vendre la voiture en renonçant à sa commission.

De retour à la concession, Gaby fait signer les papiers de la vente à Leïla.

— Sofiane m'a donné des places pour le match PSG/Rennes de ce soir, si vous aimez le foot, vous pouvez m'accompagner, on irait dîner après, ça vous dit ?

— OK, j'accepte, dit Leïla avec un sourire en coin. J'accepte de venir avec vous, mais ne vous faites pas d'illusions, vous n'êtes pas ma came !

— J'avais bien compris, votre came serait plutôt... Stéphanie !

— Observateur, dit Leïla, elle est super bonne... d'ailleurs, elle est mariée, elle a quelqu'un ?

— Oui, elle est mariée, un enfant et hétéro !

— Pas grave, quand je reviendrai chercher la voiture, je tenterai ma chance. Au fait, mes amis m'appellent Leï.

Gaby sourit, il est déjà satisfait de pouvoir passer la soirée avec Leïla. Il reste totalement sous le charme de cette Italo-Marocaine. C'est la première fois qu'il ressent un tel désir pour une femme, et malgré son langage de racaille et son orientation sexuelle, Gaby va tout mettre en œuvre pour la séduire.

Deux ans se sont écoulés depuis leur rencontre. Gaby et Leïla ne se sont plus quittés, ils sont devenus les meilleurs amis du monde. Leur complicité est telle, qu'ils partagent tout, se disent tout, mais Leïla n'a jamais cédé aux avances de Gaby, qui se contente de cette relation pour ne pas la perdre. Il espère qu'un jour, il pourra vivre pleinement les sentiments qu'il a pour elle.

Deuxième sonnerie de message : « Alors ma couille, ton rencard d'hier a bien donné ? Leï »

Gaby décide de lui répondre :

« Yesss, super, très bonne soirée. Gaby »

« Cool, je serai chez toi vers 20 h ce soir, biz. Leï »

Gaby remet le téléphone dans sa poche et se dirige vers son bureau. En passant devant le salon d'attente pour les clients, il remarque sur la table basse une revue avec Eva en couverture. Il regarde sa montre, 8 h 55, son comptable va arriver, pas le temps de lire l'article sur Eva, il le fera plus tard.

La matinée défile au rythme des coups de fil des clients qui se succèdent dans le showroom ou viennent pour leurs révisions. Stéphanie est une très bonne professionnelle, elle maîtrise la relation clientèle, se souvient des noms des clients, les flatte quand il le faut et gère le planning de l'atelier comme une cheffe. Gaby a conscience de la valeur d'une telle assistante, il fait tout pour la garder et lui donne régulièrement des primes pour la remercier de ses services.

Il est 12 heures, Sofiane apparaît dans la porte du showroom, Gaby lui fait signe de le rejoindre dans son bureau. Après avoir salué Stéphanie, Sofiane se dirige vers le bureau.

Gaby a beaucoup d'affection pour Sofiane, c'est un homme de 45 ans au parcours chaotique. Moitié rital, moitié rebeu et, il est l'aîné d'une fratrie de cinq enfants, quatre garçons et une fille, Leïla. Il a grandi à Villeneuve-la-Garenne, en banlieue nord de Paris, dans la cité de la Caravelle, appelée plus communément « bâtiments blancs ou cité Nord ». Construite entre 1959 et 1968, elle était considérée comme la plus grande barre de logements d'Europe, avec dix étages et 1650 logements. Elle est devenue en quelques décennies une cité non fréquentable, y sortir le soir était déconseillé. Des bandes se sont formées, créant des rivalités entre cités de Saint-Denis et Villeneuve-la-Garenne. Sofiane a grandi au milieu de ces bandes, déscolarisé à 15 ans, il est très vite tombé dans les petits trafics, vols d'autoradios, vols de magnétoscopes dans les entrepôts de Gennevilliers, et bien sûr, vente de cannabis.

Par la suite, dès que Sofiane n'était pas en train de dealer, il se rendait à Cergy, sur un circuit de karting, ce qui lui a donné la passion des voitures de sport et de la vitesse. Il vole sa première Golf GTI à 17 ans, bien sûr il se fait gauler par la BAC, mais en tant que mineur, il a juste un rappel à la loi. À 18 ans, il part faire son service militaire en Allemagne, comme la plupart des jeunes

Français à cette époque. Il revient douze mois plus tard avec tous les permis de conduire, VL, poids lourds et transport en commun.

Toujours pas décidé à rentrer dans le droit chemin, il retrouve un ancien pote, Malek, devenu un vrai trafiquant de drogue, Sofiane se met à travailler pour lui. Malek voit le potentiel de Sofiane au volant d'une voiture, et lui demande de faire le « go fast[3] ». Sofiane accepte, piloter de grosses cylindrées et traverser la France à plus 220 kilomètres-heure, que demander de mieux. Très vite, il devient un des meilleurs dans sa spécialité, il porte alors le surnom de Bip Bip, l'oiseau du fameux cartoon américain *Bib Bip et Coyote*. Sofiane adorait ce surnom, il s'était même fait tatouer un grand Géocoucou (oiseau de Californie qui a inspiré le personnage de Bip Bip et qui préfère courir plutôt que voler) sur l'avant-bras avec la mention « road runner » coureur de routes, surnom anglais du Géocoucou. Sofiane est devenu en quelques années la bête noire du GIGN, impossible à attraper et imprévisible, il passait toujours au travers des barrages. Mais un jour de décembre, sur la transpyrénéenne, en pleine nuit, alors qu'il venait d'Espagne, chargé à bloc de résine, le véhicule devant lui perd le contrôle, défonce la barrière de sécurité et vient se poser en équilibre sur le parapet. Prêt à basculer dans le vide, Sofiane s'arrête s'approche du véhicule, pris de panique, toute la famille hurlait dans la 407 break. Sofiane a pris une sangle à cliquet qui attachait la dope et a sécurisé le break en le reliant à son 4 x 4 pour éviter qu'il bascule dans le vide. Bien sûr les gendarmes sont arrivés un peu avant les pompiers, Sofiane n'a pas eu le temps de repartir. La petite famille était sauvée, mais ce fut la fin Bip Bip. Il y a eu un article dans le journal local : « Une famille sauvée par un trafiquant de drogue ». Au procès, le père de famille s'est déplacé pour

---

[3] Argot policier. Méthode utilisée par les trafiquants pour le transport des stupéfiants, qui consiste à rouler à très grande vitesse pour éviter les contrôles de police.

demander de l'indulgence envers leur sauveur. Le juge a été clément avec Sofiane pour son acte de bravoure, il fut incarcéré à Fleury-Mérogis pendant cinq ans au lieu de dix années demandées par le procureur général. Cinq années pendant lesquelles il a pu reprendre ses études et apprendre les arts martiaux.

À sa sortie, il a décidé de prendre sa vie en main, et a créé une entreprise de chauffeurs de luxe et gardes du corps, Driver and Protect. Gaby et Sofiane se sont rencontrés au moment où il venait de racheter la concession. Sofiane s'est présenté au showroom avec une liasse de billets, reste de ses années passées, pour acquérir une Mercedes S 500 d'occasion que Gaby avait en exposition. Trop compliqué d'encaisser du liquide, surtout 50 000 euros, Gaby propose à Sofiane de garder en caution le liquide. Il lui met en place un système de financement par leasing via un partenariat avec une agence de prêt, dont le boss est un ancien étudiant de Dauphine. Il faut toujours garder des contacts, précise Gaby. Depuis, la compagnie Drivers and Protect a bien évolué. Sofiane a développé des contrats avec des clubs de foot, comme le PSG pour transporter les joueurs ou leurs familles, les ambassades et autres ministères, ainsi que les sociétés de production prenant en charge différentes célébrités.

Aujourd'hui, marié et père de deux enfants, Sofiane est très reconnaissant du soutien de la première heure apporté par Gaby. Depuis, les deux hommes ont lié une amitié sincère.

Sofiane s'approche de Gaby et l'embrasse à l'orientale.

— Salut ma poule, comment vas-tu ?

— Bien et toi ? répond Gaby.

— Top, je viens de décrocher un nouveau contrat avec la boîte de Leï. Ils ont besoin de mes services pour l'accompagnement de leur clientèle russe, des pétroliers proches de Poutine qui chient dans leur froc dès qu'ils quittent leur pays. C'est pour ça, il faut que tu me trouves une Maybach ou une S600 blindée, et rapidement.

— Rien que ça, fait Gaby en se jetant dans son fauteuil ! Laisse-moi deux ou trois jours pour passer des coups de fil.

— Ta sœur dort à la maison ce soir, tu veux passer boire un coup ?

— Non impossible, répond Sofiane, j'ai entraînement, je me suis mis au tir d'arbalète. Je kiffe ça à donf.

Il sort son téléphone et montre une photo.

— Regarde, c'est une arbalète Excalibur 400TD, 325 lbs de puissance, les flèches sortent à plus de 439 kilomètres-heure, une vraie bête de course !

— T'es complètement j'té ma poule, que veux-tu faire de ça !

— Ça me détend, et on ne sait jamais, ça peut servir un jour !

Le téléphone de Sofiane émet une drôle de sonnerie.

— Ah, une alerte, dit Sofiane en ouvrant une application sur son téléphone.

Étonné, Gaby lui demande ce qu'il en est.

— C'est un nouveau gadget que j'ai ajouté à mon parc de voitures. À la base, j'ai installé des digicodes antivol de démarrage, tu sais comme sur l'Audi de Leï. J'ai fait évoluer le système, la touche dièse de confirmation est désormais analogique. Si l'empreinte du chauffeur n'est pas référencée dans la base de données, ou quand il laisse plus longtemps le doigt dessus, ça envoie une alerte. Ça lance automatiquement la géolocalisation et l'enregistrement des voix dans l'habitacle de la caisse, je peux également écouter en direct sur mon téléphone.

— Tu deviens parano, fais gaffe !

— Pas du tout, mais tu oublies que la plupart de mes employés sont des repris de justice, mon bureau de recrutement est chez le JAP[4]. Mais surtout, cela permet au chauffeur de me

---

[4] Juge d'application des peines

signaler discrètement des agissements inopportuns des clients, ce qui arrive régulièrement dans ce milieu. Ils veulent profiter du transport pour se faire un rail, ou se frotter à la gonzesse qui les accompagne, je suis juridiquement responsable de ce qui se passe dans mes voitures, alors je me protège. Au fait, ne dis rien, mais j'ai installé le même système dans la caisse de Leï, j'ai honte, mais ça me rassure, et elle est ma petite sœur et je dois la protéger de prédateurs comme toi !

Sofiane éclate de rire.

— Au fait, toujours amoureux de ma sœur ?

— Ne fais pas chier avec ça, tu sais aussi bien que moi que je rame avec Leï, elle n'est pas prête à virer de bord, je n'ai pas le choix, ça reste platonique, malheureusement.

— Dommage, tu aurais fait un cool beau-frère.

— Putain, c'est qui la bombasse qui entre dans ton bouclard ? demande Sofiane en se tournant vers la porte d'entrée.

Gaby aperçoit Eva dans l'encadrement de la porte.

— Merde, qu'est-ce qu'elle fait là !

— Toi tu as encore fait trempette là où il ne fallait pas ! dit Sofiane en souriant.

— Attends-moi, je reviens.

Gaby se dirige vers Eva qui lui fait un magnifique sourire en l'apercevant.

— Bonjour, Eva, comment as-tu su que j'étais ici ?

— Tu oublies que nous, les « first ladies » nous avons accès à vos profils. On ne fait pas venir un homme sans avoir le minimum d'informations sur lui, mais ne t'inquiète pas, je suis dans le quartier pour voir une amie. Je voulais te déposer une invitation pour une vente très privée d'œuvres de Philippe Pasqua. Ils montent une levée de fonds via une fondation pour un projet titanesque, immortaliser de vieux chênes morts sur le point de tomber en miettes en les remplissant à l'identique, mais en bronze. Pasqua est chargé de cette mission, il sera présent, et comme je sais que tu apprécies particulièrement cet artiste, j'ai pensé que ça te ferait plaisir, j'y serai pour représenter ma chaîne et faire un article. Si tu le souhaites je te le présenterai.

— Je te remercie beaucoup, ça me fait vraiment plaisir, je ne raterai pas cette occasion.

Eva lui remet l'invitation, le salue, et se dirige vers la porte, elle se retourne et le regarde dans les yeux.

— Encore merci pour hier soir, j'ai passé une excellente soirée, tu mérites vraiment une note or !

Eva s'éloigne avec grâce et élégance, Gaby la regarde disparaître au coin de la rue.

Sofiane le rejoint et lui demande si c'est bien l'ex-top modèle à qui il pense. Gaby acquiesce en précisant que c'est une cliente.

— Bon, on va becter, dit Sofiane en lui tapant sur l'épaule.

4
Natalia Ivanenko

36 rue du Bastion, dans le 17e, la nouvelle adresse de la brigade criminelle, rattachée à la DRPJ, la direction régionale de police judiciaire. Rudy a quitté le 36 quai des Orfèvres en 2017, comme quasiment tous les services, sauf la BRI, il a occupé son bureau du quatrième étage, escalier A pendant plus de trente ans. Il regrette cet endroit. Les escaliers exigus qui craquaient dans tous les sens, l'odeur des vieux murs et les traces historiques depuis la création de la première brigade criminelle en 1924, appelée à l'époque brigade spéciale n° 1.

Il se souvient de son petit bureau avec une petite fenêtre d'où il apercevait une des tours de Notre-Dame de Paris. Aujourd'hui, il a vue sur le périphérique. La seule tour qu'il aperçoit est le squelette de la tour Pleyel. Une horreur de 130 mètres de haut et 35 étages, construite dans les années 1970, aujourd'hui en cours de rénovation pour les Jeux olympiques de 2024. Ils en font un centre commercial, des bureaux et un hôtel de luxe avec 700 chambres. Ils auraient mieux fait de la détruire, soupire Rudy.

Laura entre sans frapper dans le bureau de Rudy, son PC portable à la main, toujours fringuée à la va-vite, mais elle a mis une chemise ce matin, ça change de ses vieux tee-shirts.

— Tu es dispo ? demande Laura.

Rudy la regarde, assis dans son fauteuil, costume tiré à quatre épingles, chemise blanche, cravate bleu marine, mais pour une fois, une note d'audace avec une petite marguerite en bas de celle-ci.

— Assieds-toi et dis-moi ce que nous avons !

— Natalia Ivanenko, née à Moscou le 30 avril 1994. Elle est arrivée en France en 2016, à l'âge de 22 ans, elle a été hébergée dans une famille d'accueil russe pendant deux ans pour finir ses études. Elle a volé de ses propres ailes dès qu'elle a obtenu un permis de travail provisoire. Plus de traces d'elle jusqu'à hier soir. Je te confirme que Natalia n'était pas seulement une secrétaire dans une étude notariale, elle avait une double vie. Nous avons eu un gros coup de bol, Djibril a pu craquer sa boîte mail, elle utilisait Outlook, dont l'agenda. Natalia se prostituait, elle était comme on dit « une escorte ». On a pu retrouver tous ses rendez-vous, par dates et heures, elle notait l'hôtel ou l'adresse du rendez-vous, les initiales du client et la somme. Dans ses mails, on a également retrouvé ses relevés bancaires, le Crédit lyonnais, où son salaire était viré tous les mois. Sur ce compte on y trouve tous les prélèvements, loyer, assurances, mutuelle, etc. Bref tout ce qui faisait d'elle une personne normale. Par contre, elle possédait également un compte dans une banque privée au Luxembourg, où là, c'est une autre donne. Le solde dépasse les 250 000 euros, elle déposait sûrement sur ce compte les gains de son activité nocturne, mais elle recevait également des virements d'une compagnie bahaméenne, The FL Compagnie. Djibril a essayé d'en savoir plus au sujet de cette boîte, c'est en vérité une agence de rencontre style Adopte un mec mais pour les gros riches de notre planète. Ça s'appelle First Lady, apparemment ultra-sélecte avec ses adhérents, pas de prostitution dans le système, que du cul organisé entre riches ! Nous avons regardé un peu la composition de cette société, une vraie pieuvre, des tentacules partout. Elle utilise des agents recruteurs pour assurer sa prospection, généralement des femmes, Natalia devait être un de ces agents, ce qui explique les virements réguliers sur son compte.

— Et ses fiches de paie de l'étude notariale ?

— Un salaire de 2800 euros nets par mois, elle bossait pour l'étude Bréand et Sovato depuis deux ans, l'étude est située au 31 avenue Edgar-Quinet, dans le 15e.

— C'est un bon salaire pour une secrétaire, non !

— Oui on est d'accord, il y a autre chose de louche, selon son agenda, elle ne devait pas souvent travailler à l'étude. On retrouve juste des dates de rendez-vous avec ses boss, Sebastian Bréand et Felipe Sovato, ce qui me gêne, c'est qu'à chaque rendez-vous avec ses boss, il y a un nom d'hôtel.

— Ça pue cette affaire, on va aller rendre une petite visite aux notaires, on aura peut-être plus d'infos sur Natalia. Tu as des news de Manu ?

— Oui, il est parti de l'appartement vers 5 heures du mat, ils ont posé les scellés et laissé un agent en faction, il retourne sur place aujourd'hui, mais pour l'instant, rien d'intéressant.

— Les vidéosurveillances ?

— J'ai mis un gus dessus, il vérifie les enregistrements du quartier. On a du bol, il y a pas mal de ministères, comme celui de la Santé et des ambassades dans le coin, mais aussi l'Unesco, les caméras quadrillent plutôt bien le quartier.

— Nous devons absolument retrouver la trace de la seule personne, qui selon le voisin, lui rendait visite. Une certaine Victoria. La seule info que j'ai sur elle, brune, cheveux longs. Anglaise, ou, qui parle anglais, demande aux gars des vidéosurveillances de contrôler également pour Victoria, on ne sait jamais, ça peut nous aider à l'identifier.

La porte du bureau de Servat s'entrouvre, la tête de commissaire Vernon apparaît.

— Salut, Rudy, tu me tiens au jus de l'avancement pour ton affaire de Marie-Antoinette, j'ai déjà le ministère sur le dos !

— OK, Richard, je te débriefe ce soir, mais par pitié, évite l'humour graveleux, merci !

En route vers l'avenue Edgar-Quinet, Rudy reçoit un appel, c'est le médecin légiste chargé du corps de Natalia.

— Commandant Servat ?

— Oui, lui-même.

— Je suis le docteur Janvier, de l'institut médico-légal de Paris. Je crois que c'est vous qui êtes en charge du dossier Natalia Ivanenko ?

— Oui absolument, répond Rudy.

— Quand pouvez-vous passer me voir à l'institut ? Je dois vous parler de l'arme qui a tué la victime, nous avons retrouvé des fragments sur la colonne vertébrale, et j'ai des informations qui peuvent vous être utiles.

— OK, merci Docteur, je passe vous voir en fin d'après-midi.

Rudy raccroche, puis regarde Laura, l'air soucieux.

— J'ai l'impression qu'on n'est pas au bout de nos surprises.

Arrivés à l'étude notariale, les deux flics se présentent à l'accueil, une charmante femme d'une cinquantaine d'années, qui, selon l'étiquette posée sur le comptoir, s'appelle Valérie, leur sourit.

— Bonjour, vous avez rendez-vous ?

Tout en montrant sa carte de police, Rudy répond à la femme.

— Bonjour, je suis le commandant Servat et voici le lieutenant Bridault, nous souhaiterions parler à maître Bréand et maître Savato s'il vous plaît.

— Je vous en prie, asseyez-vous en salle d'attente, je vais les prévenir.

Laura a tout de suite vu que Rudy ne laissait pas indifférent Valérie, il faut dire qu'il est un bel homme, élancé, chevelure grise parfaitement coiffée, toujours classe dans son costume nickel et une belle prestance qui rassure les femmes, et l'effet commandant fait le reste. Laura remarque également l'absence d'alliance à sa main gauche, elle se penche légèrement vers l'oreille de Rudy et à voix basse :

— Si tu veux, tu peux pécho ce soir !

— Calmez-vous lieutenant, calmez-vous, répond Rudy en souriant.

Une fois dans la salle d'attente, Rudy remarque que, comme dans toutes les études notariales, la déco est toujours la même. Du bois, du bois et encore du bois, véritable ou placage, mais du bois. Les notaires ne peuvent s'empêcher de foutre du bois partout. Toujours de style années 1900, de vrais faux vieux bureaux, des placages aux murs avec des moulures, des appliques lumineuses en laiton, et toujours les affiches sur les droits de succession. On a le sentiment de rentrer dans un cercueil.

Valérie apparaît et leur précise qu'elle avait prévenu ses patrons, Laura profite de sa présence pour lui demander quand elle avait vu pour la dernière fois Natalia.

— Pardon, qui ? répond Valérie.

— Mademoiselle Natalia Evanenko, reprend Laura.

— Désolé, je ne connais personne de ce nom.

— Depuis combien de temps travaillez-vous ici ?

— Une douzaine d'années, répond fièrement Valérie.

Les deux flics se regardent, Laura penche légèrement la tête en grimaçant.

— Désirez-vous un café en attendant ? demande Valérie.

Ils n'ont pas le temps de répondre qu'un homme entre dans la salle.

— Bonjour, maître Bréand, que puis-je pour vous ?

— Bonjour, nous souhaitons vous parler à vous, et maître Sovato.

— Bien sûr, suivez-moi en salle de réunion.

Le notaire les emmène dans une salle au bout du couloir, Laura en profite pour regarder les noms sur les portes des bureaux, bien sûr pas de Natalia Ivanenko.

Dans la salle, le même décor, du bois des moulures, et des appliques en laiton. Sebastian Bréand est un homme grand et sec, le visage creusé, une barbe légère, mal entretenue et mal taillée, un costume qui semble avoir trente ans et une chemise presque blanche au col à moitié élimé. Bréand les invite à s'asseoir, Rudy se positionne en face du notaire et Laura préfère rester debout en se positionnant devant la porte. C'est une posture qu'ils ont mise au point quand ils veulent intimider et mettre mal à l'aise leurs interlocuteurs.

La porte s'ouvre violemment, Laura esquive de justesse l'angle en bois.

— Désolé, je ne vous avais pas vue, je me présente, maître Sovato.

L'homme est l'opposé de son associé. De petite taille, il est plutôt rond et joufflu. Costume impeccable, il arbore un tout petit bouc, une espèce de touffe de poils sur le menton, juste sous la lèvre inférieure qui fait penser au fameux ticket de métro finement nommé pour les pubis féminins. Il émet une forte odeur de tabac froid, de cigares de mauvaise qualité qui tachent les doigts et les dents.

Savato se positionne à côté de son associé en souriant bêtement.

— Alors inspecteur, comment pouvons-nous vous aider ? dit Bréand.

— Commandant, commandant Servat, reprend Rudy, nous sommes venus vous parler de Mademoiselle Ivanenko.

Le nom de Natalia a fait comme une onde de choc dans la pièce, faisant reculer les deux hommes dans le fond de leurs fauteuils. Ils se sont regardés, le visage de Bréand s'est complètement fermé et celui de Sovato se met à luire d'une légère transpiration puant le tabac et l'inquiétude.

— Pourquoi ? Que voulez-vous savoir ? répond Bréand en se redressant afin d'essayer de reprendre de l'allure.

— Mademoiselle Ivanenko est bien votre salariée ?

— Mais que lui voulez-vous ? demande Bréand.

Sovato luit de plus en plus, observe Laura.

— C'est une enquête de police, Monsieur. Pouvez-vous répondre à nos questions s'il vous plaît, merci. Alors, depuis quand Mlle Ivanenko travaillait-elle pour vous ? Et quel poste occupait-elle exactement au sein de votre étude ?

L'homme bafouille, il n'arrive pas à trouver ses mots.

— Mlle Ivanenko a un statut particulier chez nous, elle fait des recherches d'héritiers pour nous.

Sovato s'est détendu immédiatement en entendant la réponse de son associé qui a eu le bon réflexe. Qui dit recherche d'héritiers, dit travail extérieur, ce qui peut justifier l'absence de bureau ou poste de travail à son nom et surtout le fait que personne ne connaît Natalia à l'étude.

— Une forme d'enquêtrice, n'est-ce pas ? Très bien, j'ai une mauvaise nouvelle, Mlle Ivanenko a été assassinée cette nuit. Je suis chargé de l'enquête, j'ai besoin de savoir sur quel dossier elle enquêtait, il y a peut-être un lien entre son travail et son meurtre.

— Impossible, répond Bréand, nous avons une chartre de secrets professionnels à respecter.

Le notaire commence à devenir arrogant envers Rudy.

— Vous savez bien que c'est une enquête criminelle, et de toute façon, vous serez dans l'obligation de nous communiquer tous les éléments sur Mlle Ivanenko. Alors je compte sur votre bienveillance pour nous faciliter la tâche dans notre investigation, et, également pour la mémoire de votre salariée.

— Mais vous avez un mandat ou un document officiel à nous présenter, demande Bréand en se touchant les poils qui lui servent de barbe.

Voyant que la mauvaise foi allait s'instaurer dans la conversation, et que les notaires pouvaient à tout moment mettre fin à celle-ci, Laura décide d'activer une méthode bien au point avec son supérieur. Elle fait discrètement sonner son téléphone, le porte à son oreille, laisse passer quelques secondes et simule la fin de la communication en disant merci. Tous les regards se portent sur elle, elle se dirige ensuite vers Rudy et lui parle à l'oreille. Rudy lui répond merci en simulant un air étonné, Laura reprend son poste devant la porte et Rudy dirige un regard suspicieux vers les deux notaires.

Les deux hommes sont sur le point d'exploser, surtout Sovato qui est maintenant à l'état liquide.

Rudy savoure ce moment avant de dire :

— Vous saviez que Natalia se prostituait ! Elle notait tout dans son agenda que nous avons analysé, et curieusement vous êtes tous les deux dans sa liste de rendez-vous, et, pas professionnels, enfin, ceux pour lesquels elle recevait un salaire. Alors, ne me faites pas perdre mon temps, dites-moi tout ce que vous savez, je dois retrouver un meurtrier, et comprenez bien, Messieurs, que si je le désire, je peux vous pourrir la vie. Alors, je vous écoute.

Sovato craque, il est devenu rouge écarlate, sa chemise est trempée, il sort un paquet de mini-cigares de sa poche et en allume un.

— Je vais tout vous raconter, dit Sovato. J'ai rencontré Natalia sur un site d'escorts girls, je la rencontrais deux à trois fois par mois. Elle était tellement belle et agréable, que j'ai communiqué son numéro à Sebastian, nous sommes devenus tous deux clients de Natalia. Un jour, Natalia m'annonce qu'elle devait quitter la France pour des raisons administratives, sauf si elle trouvait un CDI. Sebastian et moi lui avons proposé de l'embaucher à l'étude, sans venir travailler, bien sûr. Elle n'avait aucune qualification en droit notarial, mais en nous offrant les mêmes services. Elle a accepté sans réfléchir.

— Ouais, comme ça, vous vous faisiez éponger aux frais de la boîte, précise Laura !

Elle a vraiment le sens de la repartie, pense Rudy, elle est trop forte.

— Combien de temps a duré cette mascarade ?

C'est Bréand qui répond cette fois-ci.

— Deux ans, nous n'avons rien fait de mal, inspecteur.

— Commandant !

— Pardon, COMMANDANT, précise Bréand avec arrogance. De toute façon, elle se prostituait avant de nous rencontrer, nous lui avons juste apporté une situation stable, on ne peut pas nous reprocher d'avoir aidé une pute russe.

— Une pute russe ? Écoutez-moi bien Bréand.

— Maître Bréand ! précise le notaire.

C'est la phrase de trop pour Servat, il sort de sa sacoche la photo de la tête de Natalia dans le saladier, il la claque sur le bureau faisant vomir Sovato dans la corbeille à papier. Il se lève, se penche en avant, fronce les yeux, se pince les lèvres et gonfle ses narines au maximum et dit calmement :

— Écoute-moi bien « MAÎTRE Connard », voilà ce qui reste de « la pute russe », dit-il en lui mettant la photo sous le nez. Vous ne l'avez pas aidée, vous avez profité d'elle, vous êtes tous les deux une bande d'ordures. Il y a plein d'autres moyens pour aider une personne en situation irrégulière, surtout quand on est des hommes de loi comme vous, mais vous avez préféré abuser d'elle en utilisant ses services. Je suis sûr qu'en cherchant bien, on va retrouver des amis à vous dans sa liste de clients. Vous avez dû la refiler comme bonne adresse, alors sachez bien Messieurs, quand on rémunère de manière fixe une prostituée, et qu'on organise des rencontres, ça s'appelle du proxénétisme.

Les deux notaires sont complètement abattus, à la limite de la crise de panique, ils essayent de se justifier, de s'excuser, mais Rudy reste étanche et les ignore en refermant son porte-documents.

Rudy se tourne vers Laura et lui dit :

— Embarque-moi ces deux merdes, et fais-toi plaisir, tu leur mets les bracelets, moi je vais à l'institut médico-légal.

— OK, boss, pour les motifs ?

— Rétentions d'informations dans le cadre d'une enquête criminelle, emplois fictifs et suspicion de proxénétisme.

Écœuré par les révélations des deux notaires, Rudy quitte la pièce sans même les regarder. Il emprunte le long couloir et se dirige vers la sortie. Valérie, toujours à son poste, lui fait un grand sourire en lui disant « À bientôt j'espère ». Laura avait donc raison, la femme de l'accueil a le béguin pour lui. Pour la première fois depuis leur arrivée, Rudy regarde cette femme si avenante et plutôt jolie. Elle doit avoir entre quarante-cinq et cinquante ans, la peau mate, les yeux en amandes. Il y a en elle du métissage, malgache, réunionnais, voire mauricien. Rudy lui rend son sourire et se dit que, après tout pourquoi pas, il lui dépose une carte de visite avec la phrase classique, « Si un jour vous avez besoin ».

Rudy n'a pas atteint l'ascenseur que son téléphone sonne.

— Salut commandant, c'est Manu.

— Bonjour Manu, alors, qu'est-ce que tu as trouvé dans l'appartement ?

— On a affaire à un professionnel, pas la moindre trace du tueur. J'ai tout passé au peigne fin du sol au plafond, aucun poil ou cheveu d'homme, aucune empreinte de chaussures non plus. Il devait porter des protections, charlotte, surbottes, etc. Tout ce qui était électronique a disparu, ordi, téléphone, appareil photo. Je n'ai trouvé aucune facture d'abonnement téléphonique, la victime devait utiliser des cartes prépayées style Lycamobile. On a pu mettre la main sur quelques photos d'elle enfant avec ses parents, on va se rapprocher de l'ambassade de Russie pour contacter la famille. Tu m'as dit que le voisin avait vu à plusieurs reprises une jeune femme brune avec elle, je valide. J'ai retrouvé plusieurs longs cheveux bruns sur le dossier du canapé, or, la victime était blonde, je vais voir si l'ADN va donner quelque chose. Il n'y a aucune trace suspecte dans le lit non plus, les draps sont nickel, pas de sperme, ou autres résidus de transpiration. En tout cas, elle ne s'envoyait pas en l'air chez elle. Je finis le rapport et je te l'envoie, précise Manu.

— OK, je te remercie.

Rudy se doutait que Natalia n'apportait pas de travail à la maison. Plus il avance dans cette enquête, et plus il a de compassion pour cette pauvre fille à qui on a coupé la tête avec un sabre, comme un vulgaire poulet. Il repense à cette image, cette tête dans le saladier, l'expression du regard, le sang dans le fond du récipient. Rudy imagine la scène, elle, attachée et le tueur devant, debout, l'air décontracté, souriant légèrement avant de lui mettre le coup de grâce. En plus de trente-cinq ans de carrière, Rudy a très souvent côtoyé le crime, mais en vieillissant, ce n'est plus la mort qui le gêne, mais les préliminaires. Ces moments comme les vécut Natalia où elle a compris qu'il n'y aurait pas d'issue, les secondes où l'espoir disparaît laissant un vide sur l'existence. Les dernières pensées et la peur, celles qui paralysent le corps, celles qui font pleurer, celles qui supplient, celles qui donnent aux yeux l'expression de la tête dans le saladier. Mais Rudy est sûr de lui, ce n'est pas un meurtre crapuleux. Il ressent quand les choses vont se compliquer. Un bip l'avertit d'un SMS, il regarde le message.

« Maintenant, vous avez également le mien, Valérie ».

Rudy sourit en pensant à Laura, « Quelle petite conne ».

5
Sergeï Kenko

Porte de la Chapelle, 18e arrondissement. Sergeï sort du métro, la faune est peuplée de SDF, de migrants, de toxicomanes à crack et de prostituées qui viennent gagner leurs doses. C'est vraiment un quartier totalement abandonné par les autorités, mais surtout par la mairie. La porte de la Chapelle est située au bord du périphérique et au bout de l'autoroute A1, nommée le plus souvent, l'autoroute du Nord. C'est un endroit où la dignité humaine est la plus mal traitée, les rues sont jonchées de détritus, de seringues, de bouteilles vides, on a même le sentiment que les services de propreté ont lâché prise. La vision est désastreuse, et le pire de tout, c'est que tous les touristes qui arrivent en France par l'aéroport Charles-de-Gaulle entrent dans Paris par porte de la Chapelle. Imaginez ce que peut ressentir un Japonais ou Américain qui arrive dans la ville de l'amour ou dans la Ville Lumière par cette entrée !

Pourtant, c'est là que Sergeï s'est installé, au milieu de ce merdier où la police n'ose même plus s'arrêter au feu rouge. Il loue un petit appartement au cinquième étage dans une tour d'habitations, personne ne pose de questions dans ce quartier, pas de gardien d'immeuble, pas de noms sur les boîtes aux lettres, quand il en reste, les ascenseurs constamment en panne, enfin un endroit tranquille, quand on veut rester discret.

Sergeï entre dans le hall de l'immeuble, deux dealers l'accueillent avec un regard hostile.

— Wesh, tu veux quoi toi ?

— Moi habite ici, répond Sergeï.

— D'où tu habites ici toi, j't'ai jamais vu !

— Moi juste passer, moi rien à foutre de toi, moi pas voir ton business, moi vouloir rentrer chez moi.

Les deux racailles commencent à s'agacer du comportement arrogant de l'intrus.

— C'est moi qui décide qui entre ou sort de cet immeuble, t'as compris ?

Sergeï ne répond même pas, il fait juste signe du doigt qu'il veut monter par l'escalier. Un troisième dealer apparaît de la porte de la cave et confirme :

— C'est bon, je l'ai déjà vu !

Les deux dealers s'écartent et laissent passer Sergeï, qui ne les calcule pas du tout.

— Il est chelou ce keum, t'as vu comment il marche, dit une des deux racailles, on dirait une girafe.

Sergeï emprunte les escaliers jusqu'au cinquième étage, sort une clé de sa poche et ouvre la porte de l'appartement, entre et la referme à clé. Une fois à l'intérieur, il enlève ses chaussures et son long manteau qu'il accroche à l'unique patère de l'entrée. Il se dirige vers la pièce principale de l'appartement, un salon-salle à manger de 18 mètres carrés, meublé d'un canapé convertible, d'une table ronde et d'une chaise. Aucune décoration aux murs, pas de fantaisie non plus, juste un ordinateur posé sur la table. L'homme se dirige vers l'ordinateur, l'allume, active son VPN et se connecte aux réseaux wifi. Il tape toute une série de codes et de mots de passe avant d'atterrir sur une page avec des photos, il clique sur une photo et referme son ordinateur. Il se rend dans la cuisine et se fait un café, revient dans le salon, sort un grand étui long emballé dans un tissu beige. Il le déballe doucement et en sort un sabre, un cimeterre plus précisément, un sabre à la lame courbée du Moyen-Orient encore taché de sang. L'homme incline légèrement la tête en regardant la lame, il passe un chiffon humide pour enlever les traces d'hémoglobine et avec une dextérité désarmante, il sort une pierre et affûte la partie tranchante de la lame.

6
Le cimeterre

Quand Rudy arrive au, 2 voie Mazas, dans le 12e arrondissement, l'adresse de l'institut médico-légal de la préfecture de police, il montre sa carte au vigile qui contrôle les entrées. L'endroit est froid et lugubre, le bâtiment se trouve en bord de Seine, coincé entre deux voies express. Il ne ressemble pas à grand-chose, avec ses deux, voire trois étages, selon l'endroit d'où on le regarde, il est à moitié en briques, à moitié en pierres, pas du tout accueillant. Rudy avance jusqu'au parking qui se situe en fond de la cour, celui réservé aux fonctionnaires de police. Quand il passe devant le parking des visiteurs, il aperçoit un couple qui sort du bâtiment, la femme est complètement abattue, accrochée au bras de son mari, encore une famille détruite, se dit Rudy. Il se présente à l'entrée et demande à parler au docteur Janvier, tout en présentant sa carte de police au réceptionniste, l'homme de l'accueil prévient le médecin légiste de la présence du commandant.

— Il arrive, précise-t-il, vous pouvez vous asseoir dans la salle d'attente si vous le souhaitez.

— Non merci, ça ira, répond Rudy.

Le docteur Janvier apparaît, blouse blanche, surchaussures bleues, il est de taille moyenne et légèrement dégarni, mais souriant.

— Bonjour commandant, merci d'être venu si rapidement, si vous voulez bien me suivre.

— C'est normal Docteur, ravi de vous rencontrer.

— Suivez-moi.

— C'est moi qui ai pratiqué l'autopsie de Mlle Ivanenko, dit le docteur en ouvrant le tiroir coulissant contenant le corps de Natalia. Et, comme je vous l'ai dit au téléphone, nous avons trouvé des fragments de métal sur la colonne vertébrale. Nous les avons analysés, il s'agit d'un acier très ancien, son alliage est composé de fer et de 1,5 % de carbone, ce qui nous laisse penser à une lame d'origine orientale. Les traces dans la chaire montrent que la lame est plus tranchante vers le bout, ce qui est fréquent sur un sabre courbé, donc, un cimeterre, mais comme je vous l'ai dit, très ancien, sûrement du 18e siècle. Votre tueur est forcément un collectionneur, ou un amateur d'armes anciennes, car il faut beaucoup de pratique pour manipuler ce genre de sabre, et trancher une tête d'un seul coup.

— Des traces de tortures ou sévices ?

— Quelques traces de coupures, le tueur a plutôt appliqué la méthode de l'intimidation en faisant glisser la lame sur elle, d'où les légères coupures que l'on peut apercevoir sur ses avant-bras et cuisse. Manu avait déjà vu juste, le tueur lui a infligé un coup d'essai un peu plus bas avant le coup de grâce, vous voyez, comme les golfeurs avant de taper la balle.

Le docteur Janvier simule le geste, ce qui donne la chair de poule à Rudy.

— Imaginez un peu ce que la pauvre fille a dû vivre à ce moment-là, dit le doc.

Rudy fronce le regard en remuant la tête.

— Et pour le reste, demande Rudy, vous avez trouvé quelque chose ?

— Pour le reste, la victime était plutôt saine, l'examen de toxicologie n'a rien donné, pas de trace de stupéfiants, les poumons sont nickel, non-fumeuse, nourriture équilibrée.

— Merci Doc pour toutes ces informations je vais demander à un de mes collaborateurs de mener des recherches sur l'arme.

— Très bien commandant, n'hésitez pas à me contacter en cas de besoin.

Les deux hommes se serrent la main, et repartent chacun de leur côté.

En entrant dans sa voiture, Rudy reçoit un appel du bureau, c'est le gars chargé de contrôler les caméras de surveillance du quartier de l'avenue de Saxe. Avec leur nouveau logiciel de reconnaissance faciale, les enregistrements sont analysés à une vitesse record, ce qui surprend toujours Rudy, qui se souvient des bandes de magnétoscopes qu'ils avançaient et reculaient pour essayer de capter une image généralement floue, pour apercevoir une silhouette ou un visage, désormais, c'est la machine qui fait le taf.

— Bonjour commandant, comme je n'arrive pas à joindre le lieutenant Bridault, je me permets de vous appeler, je ne vous dérange pas ?

— Non, allez-y, répond Rudy.

— Nous avons analysé les bandes du quartier, environ trente caméras, aucune d'elles n'est directement dirigée vers l'entrée de l'immeuble de la victime, mais en amont et en aval de celui-ci, oui. C'est une rue assez résidentielle, il y a peu de passage, pas comme les rues, très commerçantes, on a pu isoler assez rapidement les habitants, et les habitués du quartier. Nous avons repéré un homme dans les créneaux horaires susceptibles de nous intéresser. Il devait connaître l'emplacement exact des caméras, la tête est toujours tournée de manière à ne pas laisser voir son visage. Il porte un imperméable, une casquette ronde, type irlandaise, on distingue un objet long sous son imper, mais impossible de définir ce que c'est.

— Moi, je sais, répond Rudy.

— Et l'allure, quelque chose de distinctif ?

— Là oui, il est de grande taille, fin, mais surtout, une allure chancelante, comme s'il était sur des échasses. Le corps applique un basculement anormal d'avant en arrière, un peu comme une girafe ou un animal à grandes jambes.

— Une girafe ? reprend Rudy.

— Oui commandant, c'est ce à quoi on a tous pensé en voyant la vidéo. Le lieutenant Bridault nous a demandé de regarder également pour une femme brune. Effectivement, une personne correspondant au signalement apparaît dans le quartier vers 15 heures. Pas d'image précise, mais cette personne se manifeste dans l'avenue de Saxe avant l'immeuble de la victime, mais pas après. Ça ne veut pas forcément dire qu'elle était à cette adresse, mais on la revoit dans l'autre sens une heure plus tard.

— On peut isoler cette femme et rechercher dans la période précédente ? J'aimerais savoir si elle venait régulièrement dans le quartier.

— Oui commandant, on peut effectuer cette recherche, mais bien sûr, pas au-delà d'une certaine période. Les cartes mémoire s'effacent automatiquement au bout d'un certain temps, mais je lance l'analyse quand même, et je vous tiens au jus.

— Merci beaucoup.

Une brune et un homme girafe… Rudy décide d'appeler Laura pour voir où elle en est avec les deux notaires.

— Ouais, c'est moi, tu en es où, avec les deux connards ?

— Ils ont appelé leurs avocats, on n'a pas fait gaffe, mais c'est leur voisin de palier. Il est arrivé en trente secondes, j'ai eu le droit aux conneries habituelles, pas de mandat, bla bla bla, je n'ai pas pu les embarquer.

— Pas grave, mais, on va leur mettre la misère, tu es toujours en contact avec Éric, le gars de la brigade financière ?

— Oui, je l'ai déjà appelé, et comme il me doit un service, il va les pourrir. Il va tout éplucher, je lui ai parlé de l'emploi fictif, une escorte girl, ça lui a tout de suite plu. Comme dossier, car comme nos deux clients se farcissaient « l'emploi fictif », ça devient un ABS[5]. Ces deux abrutis vont se faire redresser sur les pipes que leur « emploi fictif » leur faisait, précise Laura en éclatant de rire.

— T'es conne, dit Rudy en riant, j'ai eu les gars du visionnage, c'est intéressant, rentre te reposer, on se voit demain au bureau, je te débrieferai de ce que j'ai.

— OK boss, à demain.

Rudy entend le bip de son téléphone signalant l'arrivée d'un SMS, il regarde.

« Re-bonjour, commandant, accepteriez-vous un dîner avec une pauvre secrétaire, bientôt chômeuse ? Valérie » Un smiley faisant un clin d'œil ferme le message et lui rend un aspect amusant.

Rudy repense à cette charmante femme si avenante à son égard. Cela fait très longtemps qu'il n'a pas suscité autant d'intérêts auprès de la gent féminine. Il se sent flatté et se dit que c'est l'occasion de renouer avec la séduction, d'autant plus que Valérie est loin d'être désagréable à regarder.

« Ce sera avec plaisir. Où voulez-vous que l'on se retrouve ? Rudy »

« J'habite au 34 boulevard de la Reine à Boulogne-Billancourt, je vous attends pour 21 h, vous pouvez passer me récupérer ? Valérie »

Directement chez elle, Rudy est très étonné par cette demande, mais après tout, il est commandant de police, ça suscite la sécurité.

« Très bien, j'y serai. Rudy ».

---

[5] Abus de biens sociaux

7
Leï et Gaby, drôle d'histoire

Gaby regarde sa montre, il est 18 h 30, sa journée a été très agréable, bilan positif avec le comptable, déjeuner avec Sofiane chez leur Italien préféré, situé boulevard Pereire, Gaby a pris des spaghettis aux palourdes, les meilleurs de Paris. Le client de l'après-midi a fini par acheter la Maserati Ghibli, et ce soir Leï vient chez lui. C'est toujours un plaisir de l'avoir à la maison, elle lui apporte énormément de chaleur et de réconfort, malgré la frustration de ne pas être en couple avec elle. Il se dit que c'est de sa faute, il faut être con pour tomber amoureux d'une lesbienne.

Stéphanie vient lui dire au revoir et lui communique le planning des rendez-vous de l'atelier pour le lendemain, elle lui serre la main et disparaît vers la sortie de service.

Gaby descend au parking et monte dans sa voiture. Il emprunte la rampe de parking et commande l'ouverture du rideau, la porte s'ouvre lentement, mais suffisamment vite pour qu'il ait le temps d'apercevoir la silhouette de l'homme aux grandes jambes. Putain, se dit Gaby, demain si je le vois, j'irai lui parler. Sur la route, il reçoit un appel de tonton Will.

— Bonjour, Tonton, comment vas-tu ?

— Hello Gaby, je vais bien merci, je pars quelque temps en régénération.

Depuis qu'il a quitté les forces spéciales, oncle Will se fait une cure de régénération comme il dit. Une fois par an, il part à l'aventure avec son sac à dos, dans un pays, de préférence sauvage ou hostile, juste avec le minimum pour vivre et vit au jour le jour. Pendant ces escapades, oncle Will reste injoignable.

— J'aimerais te voir à mon retour, je dois te parler sérieusement d'un sujet que l'on n'a jamais évoqué ensemble.

— Pas de soucis Tonton, combien de temps parts-tu, et où ?

— Amérique du Sud, pendant environ un mois, je t'enverrai par mail les checkpoints, comme d'habitude.

Les checkpoints sont ses points de passage où Gaby peut lui laisser un message en cas de besoin. Même retraité, Will reste un militaire dans le corps et l'âme, mais surtout, il veut pouvoir garder un œil sur son protégé.

— OK Tonton, éclate-toi bien, et fais quand même gaffe à toi !

— Ne t'inquiète pas, je suis coriace, on se voit à mon retour et salue Leïla de ma part.

Oncle Will adore Leïla, sa grande gueule et son langage le font rire à chaque fois qu'il la voit.

Arrivé à la maison, il prend une douche et reste en tenue décontractée, son vieux short gris et un tee-shirt sans manches. Il se sert un whisky écossais, s'installe dans le canapé Chesterfield en cuir de son père, c'est le seul souvenir mobilier qu'il a gardé de lui. Il se souvient de lui assis dedans, en regardant l'émission *Des chiffres et des lettres*. Son père était adepte à ce jeu télévisé, il avait quasiment tout le temps les bonnes réponses, Gaby ne comprenait pas pourquoi il n'avait jamais participé à l'émission.

Assis avec son verre dans le canapé, il observe Paris à travers la baie vitrée. Il ferme les yeux et se met à disparaître dans ses pensées jusqu'à ce qu'il soit tiré brutalement de cet état par la sonnerie de l'interphone.

Leïla est dans le hall quand elle aperçoit un couple de sexagénaires en train d'arriver, elle décide alors de ne pas utiliser le jeu de clés que Gaby lui a donné, mais d'utiliser l'interphone. Elle attend que le couple entre dans le hall et avec une voix de nunuche, elle pianote sur l'écran tactile en faisant défiler les noms en disant :

— Declerc, Declerc, Declerc, ah, voilà Gabriel Declerc.

Elle appuie en souriant bêtement au couple qui récupère leur courrier dans la boîte aux lettres. La voix dans l'interphone répond : « oui ? ».

— Bonjour ! M. Declerc, dit Leïla, toujours avec une voix nunuche, c'est Pamela de Sexadom, vous avez bien commandé une fellation ?

— S'il te plaît, plus de discrétion, répond Gaby en appuyant sur le bouton de déverrouillage de la porte.

Le couple est tellement choqué qu'il se précipite vers l'ascenseur, mais Leïla se débrouille pour monter avec eux, la femme appuie sur le bouton du cinquième étage et elle sur le quatorzième, elle les regarde en souriant et dit :

— Je peux vous laisser une carte si vous voulez, je fais aussi les couples.

La femme outrée quitte l'ascenseur en bredouillant des mots inaudibles. Quelques minutes plus tard, Leïla apparaît dans le judas, Gaby lui ouvre et elle entre dans l'appartement.

— Cool tes voisins, dit-elle en souriant… Putain de journée de merde, plus de dix heures enfermée dans une salle de réunion avec de gros porcs dégueulasses qui puent le tabac froid et la sueur, et cerise sur le gâteau, ils ont passé la journée à me mater le cul. Mais bon, ils ont fini par signer les contrats et 25 K euros de commission pour ma gueule, c'est ça le business, ma couille !

— Bonjour, Leï, tu vas bien, reprend Gaby en soupirant.

— Ouais, mais ça ira mieux après une douche, j'ai la lipette qui commence à coller.

— La lipette ?

— Ouais, vous vous donnez bien des petits noms à vos zgegs, comme popol ou Maurice, etc., moi c'est lipette, ça te gêne ?

— Non, c'est juste surprenant comme nom, répond Gaby.

— Et toi ça va ? demande Leïla, ta journée s'est bien passée ? Tu as vu mon frère ? Tu as des news d'oncle Will ? Ça ne te dérange pas que je reste là ce soir ?

Leïla a l'habitude de poser les questions en rafale, à vous d'assurer les réponses dans le bon ordre, surtout quand elle a tendance à changer de pièce, à peine après avoir fini sa phrase.

— Oui, répond Gaby, bonne journée. Une vente de Ghibli, un bon repas avec Sofiane et le comptable m'avance un bilan plutôt satisfaisant. Oncle Will part en virée en Amérique du Sud, et…

Mais Leïla est déjà en train d'entrer dans la salle de bains.

Elle habite dans l'Oise, à Lamorlaye, une petite ville bourgeoise à côté de Chantilly, à une heure de Paris, plutôt entre une heure trente et deux heures au moment des sorties de bureaux. C'est pour ça qu'elle dort de temps en temps chez Gaby qui habite à dix minutes à pied de son bureau. Sur les conseils d'un de ses clients, elle a acheté une maison plutôt confortable de 180 m² dans un quartier appelé le domaine du Lys-Chantilly, un ensemble de maisons bourgeoises construites sur la division d'une terre appartenant au château. Il n'y a pas de noms de rue, mais des numéros, comme à New York, d'ailleurs elle habite la Neuvième avenue. Quand on arrive, on pense immédiatement à Wisteria Lane, la ville de la série *Desperate Housewives* ce qui fait rire Gaby quand il lui rend visite. Les propriétés sont entourées de grands terrains, avec des arbres hauts et d'une grande allée pour y mettre de grosses voitures que les gens garent précautionneusement devant leur grande porte d'entrée, on trouve même un golf, enfin bref, elle habite un domaine où la réussite s'affiche dans le vrombissement des 4 x 4 AMG et des Ferrari, elle, la petite beurette d'une cité de la banlieue nord.

Leïla gagne plutôt bien sa vie, après ses études de droit, elle s'est vite rendu compte que le monde de la justice, ou de l'injustice comme elle dit souvent, n'était pas fait pour elle. Avec un frère trafiquant de drogue, les portes des cabinets d'avocats sont beaucoup moins ouvertes pour une petite Arabo-Italienne. Elle s'est spécialisée dans le droit des affaires, un domaine où elle excelle aujourd'hui. Elle a la faculté de rédiger des contrats en béton. Elle insère des clauses, des textes de loi, des conditions qui verrouillent un client et le conservent dans la durée ou dans un chiffre d'affaires obligatoire sur chaque contrat, bien sûr, dans l'intérêt de ses employeurs. Elle a un revenu de juriste déjà confortable, mais elle a négocié un pourcentage sur les valeurs ajoutées des contrats qu'elle négocie auprès de la clientèle de sa compagnie. Ainsi, elle a pu financer la moitié de sa maison avec un bonus acquis sur la renégociation d'un contrat sur lequel elle a fait augmenter la marge de plus de deux cents pour cent. Malgré ses origines modestes, elle est devenue une avocate d'affaires respectée dans le milieu des équipements pétroliers. Elle est même sollicitée par des entreprises internationales pour qu'elle les rejoigne. Mais sa vie est ici, à moitié à la campagne, dans l'Oise où elle a sa tranquillité et un air pur qu'elle peut respirer sainement et à moitié à Paris, où elle s'éclate, aussi bien professionnellement que personnellement dans la ferveur des soirées parisiennes généralement à thème et surtout dans le monde lesbien. Elle n'a pas trouvé l'amour auprès d'une femme, elle cumule les conquêtes, mais donne rarement suite à ses aventures nocturnes. Gaby reste avant tout son âme sœur. Ils se connaissent par cœur et se comprennent sans forcément se justifier de leurs agissements. Gaby ne la critique pas pour ses soirées déjantées et elle ne le condamne pas pour ses rencontres à 25 000 euros par an chez First Lady. Deux êtres en manque d'amour, mais si complices.

Gaby décide de se resservir un whisky et va rechercher des glaçons dans la cuisine. En passant devant la salle de bains, la porte est entrouverte, il ne peut s'empêcher de regarder Leï, nue sous la douche. Ce n'est pas la première fois qu'il l'aperçoit dévêtue, Leï n'est pas vraiment pudique, mais c'est à chaque fois un plaisir pour lui de l'observer dans le plus simple appareil. Elle est vraiment très belle, la peau légèrement caramel et soyeuse, les joues hautes et la bouche pulpeuse, bien dessinée, même sans maquillage, sûrement son côté italien. Ses chevaux bruns épais et ondulés, ses yeux noirs qui lui donnent un regard profond et rassurant, son côté oriental. Elle est un mélange de Monica Bellucci et de Golshifteh Farahani, cette actrice iranienne si lumineuse, Gaby trouve que ces deux références de beautés féminines conviennent bien à cette fille qui lui plaît tant.

De retour dans le salon, il reprend sa place dans le canapé. La lumière du jour commence à tomber laissant place à l'éclairage urbain parisien et aux phares de la tour Eiffel, Gaby soupire en repensant à la sensualité de sa complice, si proche et, pourtant, si loin.

— Je t'ai taxé une chemise, ça ne te dérange pas ?

Gaby tourne la tête, elle est là, dans le cadre de la porte. La main gauche sur la hanche et la droite posée sur la partie haute du chambranle de la porte, elle prend la pose de Kim Basinger dans le film *9 semaines ½*. Elle s'avance doucement en ondulant son corps et en chantant *You can leave your hat on* de Joe Cocker.

Les bouts de ses seins encore humides transpercent la fine étoffe de la chemise blanche. On aperçoit même son tatouage si sexy, symbolisant une chaîne très fine qui fait le tour de sa taille, avec un pendentif représentant un médaillon avec la Vierge

Marie dans une main de Fatma. Chaque mouvement de son corps fait remonter et redescendre le tissu à la limite de son pubis. Elle est entièrement nue sous la chemise, elle s'approche, et tout en douceur vient s'asseoir à califourchon sur Gaby. Il sent la chaleur de son corps sur son sexe, l'humidité de la douche est encore présente sur sa peau. Elle détache ses cheveux, les laissant tomber sur son torse, tous ses muscles se contractent face à une telle sensualité, elle le regarde dans les yeux et lui dit, en souriant :

— Alors beau gosse, tu serais prêt à payer combien pour une fille comme moi ?

Gaby la regarde, cette prestation de charme le rend fou, il a beaucoup de mal à se contenir, les larmes commencent à lui humidifier les yeux et il lui répond d'un air grave et sérieux :

— Ma vie, je suis prêt à payer de ma vie pour toi !

C'est une onde de choc pour Leïla, elle sait très bien qu'il a énormément de sentiments pour elle, et elle aussi aime beaucoup cet homme. Mais cette révélation, la sincérité qui en découle la bouleverse au plus profond de son âme. Elle, la femme rebelle, la gouine révoltée vient d'être touchée en plein cœur par un homme dont elle a le corps entre les jambes. Ses sens se réveillent. Elle commence à ressentir une excitation dans le bas du ventre, pas celle du sexe proprement dit, mais celle du désir de l'être. L'être qui doit devenir fusion, l'être qui doit devenir chair et cher en même temps.

Leïla sent l'émotion monter en elle, et face aux yeux brillants de son partenaire, elle se penche tout doucement, prend sa tête entre ses deux mains, se rapproche de son oreille et lui murmure :

— Tu es la personne la plus extra que j'ai rencontrée dans ma vie, et je dois l'admettre, je t'aime.

Elle se redresse et vient l'embrasser avec une très grande sensualité. Ses lèvres humides se collent aux siennes, sa salive pénètre dans la bouche de Gaby qui, lui, reste stoïque et encore surprit par la tournure que prend cette soirée. Elle infiltre sa langue et vient délicatement lui caresser la sienne, la fusion de ces deux bouches est instantanée. Gaby reprend ses esprits, infiltre également sa langue dans la bouche de Leï, elle lui sourit et lui dit que sa façon d'embrasser est très agréable. C'est avec ravissement que Gaby déboutonne sa chemise portée par Leï, laissant apparaître sa poitrine, ses seins qu'il a tant désirés et rêvé d'embrasser, de sucer délicatement les mamelons. Cette poitrine aujourd'hui à portée de bouche, il peut enfin goûter la peau de cette femme qu'il aime tant.

Leïla lui enlève le tee-shirt. Gaby étant assez sportif, il arbore un torse ferme et des pectoraux bien dessinés. Elle pose délicatement ses mains dessus et vient lui sucer avec douceur les tétons. Gaby commence à sentir la cyprine qui coule du vagin de Leïla et vient lui mouiller le short, l'érection est presque douloureuse tant elle est intense. Il fait glisser tant bien que mal son short, libérant son pénis qui se retrouve en contact avec le vagin de Leïla. Elle le regarde dans les yeux, et avec cette voix douce encore inconnue à ce jour, et pleine de désir, elle lui dit :

— Viens en moi !

8
Valérie, belle rencontre

Rudy est repassé chez lui pour prendre une douche et se changer. Ça fait bien longtemps qu'il n'a pas eu un rencard avec une femme, d'ailleurs, la dernière fois remonte à plus de deux ans, une femme avec qui il dialoguait dans le monde virtuel des sites de rencontres d'internet. Les échanges écrits se passaient bien, mais la rencontre, une tout autre chose. À son arrivée au point de rendez-vous, il n'a même pas pu reconnaître la personne avec qui il conversait depuis deux mois. Tout était faux, les photos, l'âge, la taille, le poids. Rudy n'a pas forcément de critères physiques, mais, déformation professionnelle, il ne supporte pas le mensonge. À aucun moment, il n'avait menti sur lui, son âge, son physique, sa profession et sa situation familiale. Valérie, c'est différent, ils se sont croisés dans ce qu'il appelle la vraie vie, pas de surprise à l'arrivée, et surtout, plus il repense à leur rencontre et plus cette femme lui plaît. En bon séducteur, il vérifie sa tenue, pantalon en toile beige, polo Lacoste blanc, mocassins en daim bleu dur pour apporter une note de couleur et pour finir, une petite veste légère grise. Il affine sa mèche grise, contrôle son sourire, un zeste de parfum, et le voilà passé du mode flic strict au mode dandy parisien chic. Rudy dépose dans le coffre-fort son arme de service, un Sig-Sauer SP, c'est très rare qu'il s'en sépare, mais dans le cas présent, pas question de faire peur à Valérie, surtout pour la première rencontre.

Rudy sort de son appartement et rejoint sa voiture. Issy-les-Moulineaux est la commune voisine de Boulogne-Billancourt, seule la Seine sert de frontière entre les deux villes. Le temps de parcours pour rejoindre l'adresse donnée par Valérie ne dépasse pas les dix minutes, il met sa musique préférée, du jazz, du vrai : Charlie Parker, John Coltrane, Duke Ellington et autre Miles Davis. Cette musique le détend, et le son restitué dans sa nouvelle voiture électrique est particulièrement excellent, pas de bruit de moteur, uniquement les cuivres et le son rauque du saxophone de John Coltrane interprétant *Blue Train*. Rudy emprunte le boulevard de la Reine et se gare au 34, il regarde sa montre, 20 h 55, encore quelques minutes avant l'arrivée de Valérie. Il est un peu stressé à l'idée de trouver un sujet de conversation avec une femme dont il ignore tout. Il sait que le succès d'une bonne soirée ne tient à pas grand-chose et, rien de pire que de n'avoir rien à raconter.

La porte de l'immeuble du 34 s'ouvre, Valérie apparaît et avance en traversant la contre-allée. Rudy la regarde, rien à voir avec la secrétaire rencontrée le jour même, fini le chemisier, jupe et chignon. Elle porte un jeans usé, une paire d'escarpins et une chemise à carreaux. Plus de chignon, ses cheveux sont lâchés, noirs et très longs, lui donnant un air sixties, baba cool, bobo classe. Elle paraît dix ans de moins, la lumière chaude des luminaires lui donne encore plus un métissage doré, elle est vraiment très jolie. Rudy se souvient de l'explication que lui a faite un jour Manu de la scientifique, sur la manière de reconnaître les origines des gens en regardant leurs cheveux. Trois types de cheveux. Le type africain plat, fin et frisé, comme du bolduc autour d'un paquet-cadeau, donc très cassant. Le type caucasien, plutôt ovale, ondulant et pouvant pousser assez long sans casser, mais fragile et sensible à l'humidité. Et le type asiatique, rond et droit comme des baguettes, très résistant et pouvant devenir très long. Rudy observe Valérie avec sa chevelure raide, noire et longue. Aucun doute, elle a des origines indiennes, Rudy est un gentleman à l'ancienne, il l'accueille avec un grand sourire, s'incline légèrement en avant et lui ouvre la porte de la voiture.

— Bonsoir commandant, dit Valérie tout sourire.

— Bonsoir, Valérie, vous êtes ravissante, mais appelez-moi Rudy s'il vous plaît.

— Très bien commandant Rudy, précise-t-elle en riant.

Elle monte à la place avant la Mégane, Rudy ferme la porte élégamment, fait le tour de la voiture et reprend la place du conducteur, il appuie sur le bouton de contact, la musique redémarre.

— Ouah, John Coltrane, s'exclame Valérie, étonnée.

— Vous aimez le jazz ? demande Rudy.

— Oui, j'adore, mais j'avoue ne pas y connaître grand-chose.

— Pourtant vous avez reconnu tout de suite Coltrane !

— J'avais une chance sur deux, dit Valérie en souriant, je dois vous avouer que je détenais déjà l'information, Coltrane ou Ellington.

— Comment ça ? demande Rudy, étonné.

— Votre collègue, le lieutenant Bridault est vraiment super. Après votre départ, elle est venue me voir, elle s'est mise devant moi, elle m'a regardé avec sa belle petite frimousse et ses points de rousseurs, puis m'a demandé :

— Il vous plaît, n'est-ce pas ?

— Ça se voit tant que ça ?

— Oui, et je suis une aussi femme, alors écoutez-moi, je le connais très bien. Actuellement, il est en jachère, foncez, ne perdez pas de temps, battez le fer tant qu'il est chaud, lancez-lui une invitation. Je vous parie qu'il vous répondra positivement, et puis vous me plaisez bien, je vais vous filer quelques tuyaux le concernant !

Les yeux de Valérie se plissent de façon espiègle en lui racontant sa conversation avec Laura.

— Je n'ai pas l'habitude faire ce genre de rendez-vous avec des inconnus, mais bon, je me suis dit, pourquoi pas, et puis vous êtes policier, c'est plutôt rassurant, non ?

— Laura n'aura jamais fini de m'étonner, dit Rudy en souriant. Je réglerai mes comptes avec elle demain, surtout pour la « jachère », mais en attendant, je suis ravi d'être avec vous ce soir. Alors où désirez-vous dîner ?

— Je connais un indien super à Neuilly, si vous n'y voyez pas d'inconvénients, ce sont mes origines.

Rudy jubile, il a vu juste grâce à son analyse capillaire.

— Non, j'adore cette cuisine, et puis ça nous laisse une bonne vingtaine de minutes de voiture pour vous donner un cours sur le jazz.

Arrivée devant le restaurant, Valérie en sait plus sur John Coltrane qu'Éric Jean-Jean, l'animateur de radio.

Une fois à table, les deux tourtereaux parlent de leurs vies. Valérie est mauricienne, elle est née à Port-Louis, ces parents ont quitté l'île Maurice pour venir travailler en France, à l'île de la Réunion. Ils ont travaillé dans la restauration à Saint-Gilles-les-Bains, la cité balnéaire de l'île. Valérie a fait ses études à Saint-Denis, elle a obtenu la nationalité française à sa majorité et, avec son BTS en comptabilité, elle est venue vivre en métropole, à Paris. Ses parents, une fois à la retraite, sont repartis vivre à l'île Maurice, où ils coulent des jours tranquilles à Grande Baie. Mariée à l'âge de 25 ans avec un collègue de travail, elle a eu deux enfants, un garçon qui a aujourd'hui 21 ans, un technicien dépanneur en ascenseurs et une fille de 19 ans, étudiante à l'École nationale supérieure des arts appliqués Olivier de Serres. Elle a divorcé il y a trois ans. Son mari, comme de plus en plus d'hommes, lui a avoué son homosexualité et a décidé de vivre enfin pleinement son histoire d'amour avec son amant, un homme qu'il fréquentait depuis plus de cinq ans. Valérie a accepté la séparation avec philosophie, se disant que ce n'est pas pour autre femme qu'il est parti. Son orgueil reste ainsi intact, mais elle rappelle avec humour que s'il lui en avait parlé plus tôt, elle aurait pu se mettre à la pratique du gode-ceinture. Rudy éclate de rire, décidément, cette femme est surprenante, belle, radieuse, avec beaucoup d'humour. Il se sent bien avec elle, finalement Laura a le nez fin, mais arrive le sujet que redoute pour Rudy, le cas de ses deux patrons.

— Dites-moi, votre visite à l'étude a été assez musclée, mes boss étaient très mal après votre départ !

— Vous savez, je n'aime pas trop parler de mon boulot, mais je vous dois une ou deux explications. Vos patrons ne sont pas vraiment des personnes respectables, ils ne sont pas ce qu'ils prétendent être !

— Si ça peut vous rassurer, je ne les apprécie pas non plus, je les appelle Gollum et Jabba, dit Valérie avec son air malicieux. Gollum, le personnage du *Seigneur des anneaux* qui réclame tout le temps « son précieux » pour Bréand, le grand sec, et Jabba, la grosse limace de *Star Wars* pour Savato, le petit gros hyperséborrhée.

— Vous avez bien résumé les deux personnages… conclut Rudy en éclatant de rire.

— Je dois craindre pour mon poste ? demande Valérie en faisant une petite grimace.

— Non, rassurez-vous, ce sont deux gros verrats, mais ça ne fait pas d'eux des bandits. De toute façon, si un jour vous envisagez de changer d'étude notariale, j'ai un ami qui est membre du SNF, le syndicat des notaires de France. Je pourrais vous mettre en relation si vous le désirez. On ne sait jamais, il connaît peut-être des notaires qui ressemblent à Han Solo et Chewbacca.

Maintenant, c'est Valérie qui éclate de rire. Elle est de plus en plus sous le charme de ce cinquantenaire, si séduisant et respectueux.

— Je passe vraiment une agréable soirée.

— Tout le plaisir est pour moi, lui répond Rudy en lui prenant la main.

Pour une fois et depuis longtemps, il ne pense plus au boulot.

Elle apprécie ce geste et savoure ce moment de contact, la main est ferme comme celle d'un bûcheron et en même temps d'une douceur féminine. Rudy paye l'addition, puis ils quittent le restaurant. Sur le chemin du retour, le climat est plus lourd, sûrement parce que le moment de la séparation se rapproche. Que va-t-il se passer ? Va-t-elle l'inviter à prendre le fameux dernier verre ? Fixer le prochain rendez-vous ? Peut-être échanger le premier baiser… Rudy sent son rythme cardiaque augmenter. Ses mains deviennent légèrement moites, et il n'ose plus regarder Valérie directement dans les yeux.

De retour au 34 boulevard de la Reine, il se gare en double file pour ne pas paraître dans l'attente d'une invitation. Il se tourne vers Valérie et la remercie pour cette merveilleuse soirée. Elle lui sourit et vient lui déposer un baiser sur la joue, il se penche pour lui rendre, mais elle lui présente directement sa bouche, aucune issue possible, il doit désormais l'embrasser, ce qu'il fait sans hésiter.

— Je te dirais bien de monter, dit Valérie, mais ma fille est là, pourtant j'ai très envie de rester avec toi.

— Moi aussi, je n'ai pas envie de te quitter. En tout bien tout honneur, j'habite à Issy-les-Moulineaux, à dix minutes, on peut prendre un verre chez moi, si tu le désires ?

Valérie accepte sans même hésiter, Rudy met son clignotant et prend la direction de son appartement, en se félicitant que la femme de ménage soit passée ce matin. Maintenant, c'est Duke Ellington qu'on entend dans les enceintes Bose de sa Renault, il remercie Laura au plus profond de lui.

Rudy se gare au premier sous-sol de la résidence, sur l'emplacement attribué à son appartement. Ils sortent la voiture et prennent l'ascenseur pour atteindre le troisième étage, la surface réduite les rapproche encore un peu, il en profite pour prendre Valérie dans ses bras et l'embrasser. Une fois l'ascenseur arrivé au niveau demandé, Valérie sort la première.

— On dirait que tu as de la visite !

Rudy regarde en direction de sa porte d'appartement.

— Merde, Laura, chuchote Rudy.

9
Les démons de Laura

Laura est assise devant sa porte, une bouteille de vodka dans la main gauche et un joint dans la droite. Elle dirige son regard dans leur direction et fronce les paupières, comme pour faire la mise en netteté de sa vue, elle est ivre et bredouille quelques mots.

— J'ai sonné, mais il n'y avait personne. Merde, je savais que ça pouvait le faire vous deux ! marmonne-t-elle en les observant.

Elle essaye de se relever, mais en vain, l'effet de l'alcool et du cannabis la maintient sur le paillasson, elle a le regard hagard.

Rudy se précipite vers elle, lui enlève la bouteille et le pétard, il en profite pour récupérer également son arme dans son holster. Il essaye de la relever, Valérie vient lui donner un coup de main, ils entrent dans l'appartement, et Rudy dépose délicatement Laura sur le canapé. Il lui enlève ses baskets et l'allonge avec un plaid, Valérie regarde avec admiration et compassion cet homme au comportement si paternel.

— Je suis désolé, dit Rudy en allant dans la salle de bains.

Le maquillage de Laura a complètement coulé, à cause des larmes, il revient avec un coton et une bouteille de lait cosmétique.

— Laisse-moi faire, je maîtrise mieux que toi, dit Valérie en faisant un clin d'œil. Je pense que cela ne me regarde pas, mais ça lui arrive souvent ?

— Non, répond Rudy, mais aujourd'hui, c'est la date de naissance de son petit frère décédé. J'aurais dû y penser et rester avec elle ce soir.

Rudy comprend la maladresse de sa phrase et corrige immédiatement.

— Enfin, tu vois ce que je veux dire, je ne regrette pas ma soirée, mais je suis la seule personne assez proche d'elle pour percer la carapace qu'elle s'est faite. Derrière ses apparences de petite fille douce, il y a un trop-plein de colère qui la détruit à petit feu jour après jour.

— Tu peux m'expliquer si tu en as envie, je ne suis pas de nature curieuse, mais j'ai toujours du mal à voir de jeunes personnes se détruire ainsi.

Valérie finit de lui démaquiller le visage, Laura est en train de basculer vers un sommeil lourd, mais agité.

Valérie observe enfin l'environnement de vie de son bel homme fraîchement rencontré. La décoration est simple, un canapé en cuir, un fauteuil de lecture du même style, une table ronde, quatre chaises et un écran de télévision, plutôt ancien. Ce ne doit pas être amateur du petit écran, un bureau avec un ordinateur portable et une imprimante. Elle remarque surtout les photos de sa fille qu'il a accrochées aux murs, elle lui ressemble. On peut voir les différentes étapes de sa vie, de bébé à aujourd'hui, il lui a dit pendant la soirée que sa fille lui manquait beaucoup et que son départ aux États-Unis l'avait énormément affecté.

Rudy revient avec deux cafés et demande à Valérie si elle souhaite du sucre. Il les pose sur la table basse et prend délicatement Laura dans ses bras pour l'emmener dans la chambre de sa fille. Il ouvre la porte avec le pied et vient déposer avec une douceur de maman lionne la jeune femme complètement endormie, il revient sur la pointe des pieds et referme la porte.

— Je suis vraiment désolé, répète Rudy à son invitée. Laura était au Bataclan le treize novembre 2015, elle y était avec son petit frère, c'est elle qui lui a offert la place de concert. Ils étaient tous les deux dans la fosse au moment de l'attaque, son frère a été touché dès les premiers tirs des terroristes. Il s'est écroulé sur elle, mais encore en vie, il avait assez de force pour la rassurer et l'encourager à ne pas pleurer et ne pas faire de bruit. Ils sont restés ainsi pendant plus de deux heures, au bout d'un moment, un des terroristes faisait le tour de la fosse et tirait au hasard sur les corps allongés. Son frère a pris une deuxième balle en pleine tête, sa boîte crânienne a explosé et s'est vidée sur Laura. Elle est restée avec la cervelle de son frère sur elle jusqu'à l'intervention des forces de l'ordre. Sa mère ne lui a jamais pardonné d'avoir emmené ce soir-là son petit frère et la tient pour responsable de sa mort. Elle ne lui adresse plus la parole depuis cette période.

— Et son père ? demande Valérie.

— Son père est décédé d'un cancer l'année suivante. Laura a très mal vécu cette période et a mis du temps à s'en remettre. La haine et la colère l'ont conduite à adopter des dérives excessives. Alors pour canaliser cette colère envahissante, elle s'est mise à faire du sport extrême, repoussant à chaque instant les limites, elle jouait avec sa vie, une forme de punition d'avoir survécu à l'attaque. Elle s'est même inscrite dans un club de tir sportif longue distance. Elle a appris à manipuler des fusils de snipers comme le Cadex Black 24 calibre 308, elle était capable de toucher une pièce de deux euros à cinq cents mètres. Après plusieurs mois d'hésitation, elle a décidé d'arrêter ses études de commerce et de se diriger vers l'école de police, sûrement due à cette obsession de ne pas avoir sauvé son frère. Elle est très vite sortie du lot, sa détermination a scotché plus d'un de ses formateurs !

— Quand l'as-tu rencontrée ?

— Elle venait d'être diplômée quand elle a débarqué dans mon bureau, étant la meilleure de sa promo, elle a eu le choix, c'est la Crim' qu'elle a choisie, c'est mon service, bien sûr. C'est vraiment une fille bien, elle a des moments de relâche où elle pète une durite, comme ce soir, mais, qui n'a pas de faiblesses ? J'espère qu'un jour elle renouera avec sa mère.

— Et côté cœur ?

— Elle a une liaison en pointillé avec un gars de la brigade financière, Éric, lui, serait prêt à s'investir dans cette histoire, mais pas elle, pas encore, comme elle dit.

— Et des moments difficiles comme aujourd'hui, elle n'est pas avec lui ?

— Trop fière pour s'afficher avec ses faiblesses, c'est chez moi qu'elle atterrit, elle me fait confiance, et j'ai l'âge qu'aurait eu son père s'il avait été encore vivant.

— Oui et comme ta fille te manque, tu l'as un peu prise sous ton aile, précise Valérie en souriant.

Rudy lui sourit également.

— Je suis vraiment désolé pour ce soir, je vais te raccompagner chez toi.

— Non, reste avec elle pour la surveiller, je vais prendre un taxi.

— OK, on peut peut-être se voir demain soir ?

— Ce sera avec grand plaisir.

Rudy la prend dans ses bras et l'embrasse tendrement, elle lui caresse la joue et sort de l'appartement. Rudy la regarde s'éloigner dans le couloir et disparaître dans la cabine d'ascenseur. Il referme la porte, se dirige vers son bar et se sert un grand verre de whisky. Il va jeter un œil à Laura qui dort tout en gigotant, il s'approche d'elle, lui embrasse le front, et ressort de la chambre sans faire un bruit. Il s'assoit sur son fauteuil, prend la télécommande de son enceinte, met du jazz, il respire un grand coup, ferme les yeux, et prend une gorgée de son douze ans d'âge, Valérie est vraiment une femme bien.

10
Putain de bonheur

Gaby ouvre les yeux, il tourne légèrement la tête, elle est bien là, à ses côtés. Il l'observe, elle est belle, il rêve de ce jour depuis leur rencontre, il n'a même pas compté le nombre de fois qu'ils ont fait l'amour cette nuit. Il se sent bien, comme sur un petit nuage, la vie apporte parfois de belles surprises. Il se lève tout doucement pour ne pas réveiller sa princesse, puis se dirige dans la cuisine, comme à son habitude. Il regarde dehors, mais ce matin, il regarde sans voir, son esprit est focalisé sur l'être qui dort dans son lit. Il met en route sa machine à café et se fait couler le précieux nectar noir, ce matin le goût n'est pas le même, il est plus fruité, plus doux, plus épais. Putain, le bonheur transforme tout, se dit Gaby. Il va dans la salle de bains et prend une douche, met son vieux short, son sweat à capuche, sa paire de baskets, jette un œil à travers la porte entrouverte, sa belle qui dort encore. Il sort de l'appartement sans un bruit. Il s'équipe de ses écouteurs, sélectionne Nirvana sur sa playlist, monte le volume, et prend la direction de son parcours habituel. Même les sept kilomètres de course ont une autre saveur, la température est fraîche, mais elle paraît douce. Gaby se rend compte qu'il est en train de sourire bêtement tout en courant, il ne voit même pas les autres joggeurs. Les pas défilent faisant « chac, chac, chac » sur le sol du chemin qui longe la Seine. Il est ébloui par le soleil qui commence à réverbérer sur la tour Gan, il fronce les yeux, il a l'impression que sa peau est imprégnée de l'odeur de Leïla. Sa transpiration est comme parfumée, il repense au roman *Le parfum*, de Patrick Süskind. Il se compare à Jean-Baptiste Grenouille, ce fou à la recherche d'effluves des chairs de femmes parfaitement pures. Sauf que lui, il l'a trouvé « le parfum », dans la peau de la femme de sa vie.

Gaby regarde sa montre, ce matin il a été plus lent que d'habitude, mais peu importe, pas de performances aujourd'hui. Il va même rejoindre sa résidence en marchant, il en profite pour appeler Sofiane et partager son bonheur avec son ami et remarque qu'il n'a pas vu l'homme girafe.

— Hé gros, t'es un ouf, tu oublies que moi je bosse la nuit, j'espère que tu as une bonne raison d'appeler si tôt !

— Salut frérot, juste pour te dire que j'ai passé la nuit avec ta sœur.

— Et alors, ce n'est pas la première fois que vous dormez ensemble et que tu pignoles en rêvant d'elle.

— Non sérieux, j'ai vraiment passé la nuit avec Leï.

— T'es sérieux ? Tu as osé toucher à ma sœur, s'esclaffe Sofiane.

— Et ouais ma couille, elle a fini par craquer.

Gaby redevient sérieux et calme et poursuit :

— Tu sais, Sofiane, je suis à l'instant où je te parle l'homme le plus heureux du monde. Nous avons eu une grande discussion cette nuit, ta sœur et moi nous allons essayer de nous donner une chance, on va y aller doucement, malgré nos divergences, il faut se rendre à l'évidence, on ne peut vivre l'un sans l'autre.

— Surtout toi !

— Ce n'est pas faux, mais elle a également besoin de moi dans sa vie, elle me l'a avoué, et puis dans le pire des cas, elle me ramènera une femme à la maison, conclut Gaby en éclatant de rire.

Sofiane réagit de la même manière.

— Bon OK, maintenant, fous-moi la paix, je veux finir ma nuit. On se voit bientôt, et surtout, occupe-toi plutôt de ma caisse blindée au lieu de coucher avec ma sœur. Je dois signer bientôt les contrats pour balader les Russes, et le pire pour moi, c'est ma sœur qui les prépare.

— Eh oui, chacun sa merde, bon, bises ma poule, je remonte prendre une douche et je file à la concession, j'attends un retour aujourd'hui pour une S600 blindée, je te tiens au jus.

Gaby coupe son téléphone et entre dans le hall de son immeuble, en voyant l'interphone, il repense à la blague de Leïla d'hier soir sur Sexadom et imagine la tête de ses voisins assistant à la scène.

En rentrant dans son appartement, il remarque immédiatement que les fringues de Leïla ont disparu. Il s'avance dans le salon et aperçoit un mot posé sur la table basse. Son cœur s'emballe, que va dire ce mot, « Désolée, ce fut une erreur », ou « J'ai déconné », ou encore, « Je me suis trompée », etc. Il s'approche de la table et prend le mot, il le retourne, son cœur s'emballe davantage, il le lit « Je t'aime, à ce soir ». Gaby en a les larmes aux yeux. Il redevient serein et se fait couler un café, prend une douche, s'habille et rejoint le parking pour récupérer sa voiture. Curieusement, il ne fait pas vrombir son moteur, il sort de son emplacement et traverse au ralenti les allées le séparant de la sortie. La radio diffuse *Need You Tonight* de INXS, il monte le son et commande l'ouverture de porte, il engage la première, et avance vers la lumière.

C'est sous un bruit infernal que Gaby a eu juste le temps de voir le losange Renault floqué sur la calandre du camion poubelle aux couleurs de la Ville de Paris. L'impact a été si fort, qu'il est projeté sur l'autre siège, arrachant la ceinture de sécurité qui n'a pas résisté. Sa tête a cogné partout dans cet habitacle qui réduit au fur et à mesure que la masse lourde du camion l'écrase contre le pilier en béton. Gaby entend l'explosion des airbags, la tôle se froisser, il sent son corps qui craque, un voile noir se forme dans ses yeux, une odeur d'huile et d'essence monte jusqu'à ses narines. Il essaye de hurler, il veut hurler, mais en vain, il pense à Leïla. La carcasse de la Maserati se stabilise, tout est flou, mais il aperçoit la silhouette du chauffeur qui descend de la cabine et se dirige vers lui avant de perdre connaissance.

11
L'inconnue du parc Monceau

Le matin, dans les allées du parc Monceau, beaucoup de personnes pratiquent le jogging et la gymnastique collective chinoise. Il y a des femmes avec des coachs privés qui pratiquent la boxe et tapent dans des coussins soigneusement présentés à la hauteur de leurs poings, sans oublier les promeneurs de chiens. C'est un vrai vivier de bien-être, le paradis sur Terre, on se croirait dans un film publicitaire vantant les bienfaits d'un produit laitier ou d'un institut anti-âge. Pourtant, une femme sort du lot, elle court, le rythme est soutenu, le regard est droit et ferme, les foulées sont rapides, sa respiration cadencée au métronome. Elle est grande, un corps de sportive, le visage fin, de longs cheveux attachés en une queue-de-cheval qui balance de gauche à droite à chaque impact que font ses baskets sur le sol en sable stabilisé. Elle ne laisse pas indifférents les hommes qu'elle double sans difficulté et sans même laisser apparaître la moindre trace de transpiration. Une vraie machine, comme une athlète, ou une militaire, en tout cas elle impose un certaine sérénité que même le plus grand des dragueurs n'oserait perturber. Pourtant, en plein élan, la femme s'arrête et s'assoit subitement sur un des bancs situés devant la statue de Frédéric Chopin. Son regard devient vide, ses bras se posent de chaque côté de son corps, et lentement, elle bascule sur le côté droit et se tape la tête sur les lames en bois de l'assise du banc. C'est un corps en guimauve que les gens, restés bouche bée devant la scène, vont essayer de réanimer.

Quelques minutes plus tard, les pompiers pratiquent les premiers soins à cette inconnue sans papiers, ni téléphone ni bijoux, elle est inanimée, mais vivante, le rythme cardiaque est bon, mais la femme est comme plongée dans un coma. Les pompiers décident de la transférer aux services des urgences de l'hôpital Ambroise-Paré. C'est l'hôpital le plus proche, et comme ils ignorent son identité, ils préviennent le commissariat comme l'impose la procédure dans ce genre de cas. Aux urgences, après un débriefing du pompier, le médecin urgentiste et l'infirmière emmènent la jeune femme en salle d'examens. Ils lui placent les sondes et capteurs puis les connectent aux moniteurs pour vérifier ses constantes. Ils sont rassurés par les données, pourtant, la patiente est dans une forme de coma. Le toubib décide de faire pratiquer une IRM en urgence, il passe les consignes à l'infirmière qui emmène la patiente en service de radiologie.

— Merci Élisabeth, tenez-moi au courant dès que tout est prêt et qu'elle est sur la table, je souhaite assister à l'examen.

— Très bien, Docteur, je vous bipe quand tout est OK.

En sortant de la salle d'examen, le médecin croise un policier en civil qui se présente.

— Bonjour, je suis le lieutenant Zaoui, du commissariat du 8e arrondissement, c'est vous qui avez pris en charge la femme du parc Monceau ?

— Oui lieutenant, j'ignore encore ce qu'elle a, je l'ai envoyé en radiologie pour une IRM.

— Vous n'avez rien remarqué de bizarre en l'auscultant ?

— Non, rien de spécial.

— OK, tenez, c'est ma carte, appelez-moi dès qu'elle sera réveillée.

Le médecin prend la carte du flic et la met dans sa poche. Son biper se met à vibrer, il le regarde et se dirige vers le service de radiologie, une fois sur place, il entre dans la cabine de l'opérateur et s'assoit à côté de lui.

— Bonjour David, allez, voyons ce qu'il se passe dans ce corps.

Au bout de quelques minutes d'examen, les deux hommes se regardent et font la moue.

— Rien de bon ! dit David, l'opérateur.

— Non, répond le médecin, strictement aucune activité cérébrale, l'encéphalogramme est plat, j'ai bien peur que nous soyons face à une mort encéphalique. On la place en réanimation, il faut faire une prise de sang et une analyse de toxicologie. Il faut prévenir également le service des dons d'organes, moi je vais contacter le flic pour qu'il retrouve la famille et la fasse venir en urgence. Elle est jeune, tous les organes sont sains, on peut récupérer le maximum.

En sortant, le médecin fouille dans sa poche de blouse, sort la carte du flic et l'appelle. Zaoui répond rapidement, il est encore dans l'enceinte de l'hôpital, en train de récupérer les informations auprès des pompiers.

— Merde, dit Zaoui, en apprenant la nouvelle. Pouvez-vous examiner le corps de près, s'il y a une cicatrice, un tatouage, ou un signe particulier qui pourrait me permettre d'obtenir des informations sur elle pour l'identifier et retrouver de ses proches.

— OK, mais il faut faire vite, nous souhaitons récupérer les organes, et nous ne pouvons rien faire sans la famille. Ce serait du gâchis de perdre tout ça bêtement parce qu'elle n'avait pas de papiers sur elle, je compte sur vous, lieutenant.

— OK doc, on va faire le max.

Le flic quitte l'établissement et se dirige vers sa voiture en se grattant la tête, le médecin tourne des talons et se dirige vers son service pour s'occuper des nouvelles urgences fraîchement arrivées.

12
Dure réalité

Rudy sort de la cuisine avec un plateau, sur lequel sont posés, une tasse de café, un jus d'orange, une tartine de pain et un verre d'eau contenant une aspirine. Il ouvre sans bruit la porte de la chambre où dort Laura, pose le plateau sur la table de chevet et ouvre lentement le double-rideau qui maintient la pièce dans la pénombre. Laura ouvre un œil et grogne comme une petite fille que l'on réveille pour aller à l'école, elle ouvre doucement le deuxième œil et regarde Rudy qui est planté debout devant le lit.

— Putain de merde, dit Laura, je suis vraiment désolée patron de t'infliger ça !

— Ce n'est pas grave, répond Rudy, mais la prochaine fois, tu me le dis quand tu n'es pas dans ton auge, je resterai avec toi.

— Merci, tu es un vrai père, et je ne sais pas comment te remercier pour tout ce que tu fais pour moi.

— Remercie-moi en prenant ton petit-déjeuner, et en te magnant le cul de te préparer pour aller au bureau, je te rappelle qu'on a une décapitée sur la table.

— Merde, j'avais oublié. Au fait, sauf une vision hallucinogène, j'ai bien vu la secrétaire des deux connards hier soir, non ?

— Ouais, tu as bien vu, répond Rudy avec un regard coquin. D'ailleurs, à ce sujet, j'ai deux trois choses à régler avec toi, on va parler de la « jachère ».

Laura sourit tant bien que mal, et glisse sa tête sous les draps.

— Allez, bouge tes fesses, on doit essayer de retrouver la trace de la copine brune de Natalia.

Laura absorbe son café d'une traite, puis son jus d'orange, ainsi que le verre d'eau avec l'aspirine. Elle se lève et demande à Rudy l'autorisation d'utiliser sa salle de bains, puis, prise de panique, demande à Rudy :

— Putain, mon flingue ? Je ne me souviens pas !

— C'est bon, il est en sécurité.

Laura est rassurée et surtout soulagée. Elle flippe toujours à l'idée de perdre un jour son arme de service, ce cas arrive parfois qu'un officier de police égare son arme, c'est très mal vu par la hiérarchie. La procédure est très compliquée, car l'arme perdue peut un jour se retrouver dans une affaire de crime, la police est censée être là pour protéger et non fournir des armes aux bandits.

Quand ils arrivent au bureau rue du Bastion, Rudy est tout de suite appelé pour rejoindre le commissaire Vernon dans son bureau.

— Bonjour, Rudy, comment vas-tu ? Assieds-toi, je dois te parler !

— Bonjour, Richard, répond Rudy en s'asseyant sur la chaise devant le bureau.

Rudy apprécie particulièrement son supérieur, c'est un bon commissaire et un homme juste. Il a la connaissance du métier, il connaît bien ses équipes et les respecte, il assume parfaitement bien son rôle d'intermédiaire entre la politique et le terrain. Il ne laissera jamais tomber un de ses hommes, et le couvrira si besoin, comme le jour où Rudy a arrêté un homme sur le boulevard des maréchaux dans sa voiture avec une jeune prostituée toxicomane de 15 ans. Celui-ci avait refusé de se soumettre au contrôle de police en prenant Rudy de haut. Il ne supporte pas qu'un homme puisse profiter de la misère humaine, dans le cas présent, d'une jeune fille qui se prostitue pour se payer sa dose. Le ton était monté et Rudy lui avait explosé le nez et l'avait arrêté. L'homme était en fait le fils d'un secrétaire d'État, l'affaire était montée très haut, mais Richard avait tout pris à sa charge et Rudy n'avait même pas été cité dans ce dossier.

— Tu avances sur le dossier de Marie-Antoinette ? Tu me débriefes ?

— Oui, on a la confirmation qu'elle était escorte. Nous sommes plusieurs sur le coup, j'ai sollicité Djibril pour les données informatiques de la victime, on a pu récupérer sa boîte mail et son agenda. J'ai également mis un gars sur les enregistrements des caméras du quartier de l'avenue de Saxe. Je recherche un grand mec avec une drôle de démarche comme une girafe et une jeune femme brune qui rendait visite à la victime, autant te dire que ce n'est pas simple. L'IML m'a confirmé que l'arme du crime est un sabre oriental de type cimeterre, j'ai lancé des recherches auprès des clubs d'arts martiaux, et associations de collectionneurs. Elle avait un emploi fictif dans une étude notariale pour assurer sa couverture sociale et administrative auprès des services d'immigration. Ses deux boss se remboursaient en séances de baise avec elle, deux vrais connards, on va commencer par leur coller au cul la brigade financière. La fille recevait des virements d'une agence de rencontres bahaméenne, First Lady, strictement réservée aux personnes de la haute. L'argent était versé sur un compte au Luxembourg, on pense qu'elle faisait de la prospection pour eux, reste à définir son rôle exact au sein de cette organisation.

— Justement, puisque tu en parles, dit Richard en prenant un air gêné, j'ai reçu un coup de fil du ministère. On nous demande de ne pas trop « importuner » cette organisation, en bref, les consignes sont claires, on arrête de fouiller. On m'assure que cette agence n'a rien à voir dans le meurtre, donc passe les consignes à ton équipe, sans trop en dire bien sûr !

— Importuner ! réplique Rudy, en acquiesçant l'information.

Il a l'habitude de ce genre d'obstructions dans ses enquêtes, ce qui ne l'empêche jamais de continuer, mais discrètement.

— Le procureur de la République a ouvert une information judiciaire, il a confié l'instruction au juge Delerme. Tu la connais, elle est casse-couilles, mais efficace pour délivrer les mandats, d'ailleurs, vois avec elle pour celui des notaires, que la brigade financière ne traîne pas trop pour saisir les ordinateurs.

— OK Richard, je m'en occupe.

Rudy se lève et quitte le bureau du commissaire, dans le couloir, il croise Éric.

— Salut, Éric, justement tu tombes bien. Je sors de chez le boss, tu vas avoir le mandat de perquise pour les notaires dont Laura t'a parlé, et emmène-la pour la perquisition, elle a une revanche à prendre.

— OK commandant, je vois ça.

De retour dans son bureau, Rudy jette un œil sur le périph, toujours saturé et sur la tour Pleyel, toujours aussi laide. Le bip de son téléphone le fait sortir de ses pensées, c'est un message de Valérie.

« Hello beau gosse, j'espère que ta petite protégée va mieux ce matin. Encore merci pour cette soirée, c'était top. Je reste dispo si tu veux que l'on se voie. Bises. Valérie »

« Bonjour, Valérie, oui avec plaisir. Ce soir, même heure si tu peux ? évite d'aller bosser aujourd'hui, on va rendre une petite visite à Gollum et Jabba, je compte sur toi pour la discrétion. »

« D'accord mon commandant. »

Laura entre comme une balle dans le bureau de Rudy.

— On a des news pour les analyses vidéo, un cliché de la brune, un peu flou, mais ça suffit pour lancer une reconnaissance faciale. Si elle est fichée ou enregistrée dans un de nos services, on aura un nom. Pour le grand mec, Régis, un des gars du service des vidéos de surveillance est membre d'une association handisport, il est catégorique, pour lui le gars est monté sur des prothèses en carbone, comme celles pour la course. C'est ça qui lui donne cette démarche si particulière, ces prothèses coûtent une blinde et on n'apprend pas à les maîtriser sans aide. Régis connaît du monde dans ce milieu, il va se renseigner.

— Bonnes nouvelles, ça va nous permettre d'avancer un peu. Éric va te convier à la perquise des notaires, désormais, c'est la juge Delerme qui édite les mandats sur cette affaire, et on a reçu des consignes d'en haut, on lâche l'agence First Lady. Enfin officiellement. Pour infos, j'ai demandé à Valérie de rester à distance de l'étude aujourd'hui, je préfère qu'elle n'assiste pas à la perquisition.

— Waouh, t'es complètement in love, toi !

— Ne fais pas chier et va bosser.

Rudy n'a pas le temps de finir sa phrase que son téléphone sonne, il décroche :

— Allo ?

— Bonjour commandant, c'est le docteur Janvier de l'IML. J'ai reçu un client ce matin, un accidenté de la route, complètement en charpie. Mais en l'examinant, j'ai repéré une plaie au thorax, au niveau du cœur, le gars a littéralement été transpercé par une lame, et je suis catégorique, c'est la même lame qui a tué mademoiselle Ivanenko.

Rudy raccroche, et regarde Laura, elle déteste ce regard suspicieux qu'il a quand il ne contrôle pas les choses.

— On a un deuxième cadavre, même tueur ! Putain c'est quoi ce merdier !

13
L'échange

Hôpital Ambroise-Paré, deux semaines se sont écoulées depuis son accident. Gaby émerge tout doucement au rythme sonore du moniteur, l'acouphène qu'il entend est désagréable, mais supportable. Il n'arrive pas à ouvrir les yeux, mais il perçoit de la lumière à travers ses paupières, l'odeur forte de désinfectant lui confirme qu'il est à l'hôpital. Sa gorge le fait souffrir, sûrement le tube du respirateur, il est nauséeux, migraineux, abattu, mais il est vivant. Il arrive enfin à ouvrir légèrement un œil, une forte lumière blanche au plafond lui impose de le refermer immédiatement. Il ne sent aucune douleur physique, aucun traumatisme de la peau due aux cicatrices, pourtant, il se souvient. Il se souvient du choc, du bruit que faisaient ses os en se broyant, de la douleur qu'il ressentait quand les débris de métal pénétraient et déchiraient sa chair, du goût du sang qui remplissait sa gorge et l'étouffait. Il se rappelle toutes ces sensations, de cette douleur qui vous rappelle que vous n'êtes fait que de matière molle qui se déchire comme du papier, et d'os durs, qui cassent comme du verre. Pourtant, Gaby ne sent aucune douleur, rien. S'il ne sent rien, c'est qu'il est devenu tétraplégique, se dit-il, son rythme cardiaque augmente, il est vivant, mais handicapé, il regrette presque de ne pas avoir mal, ou bien c'est l'effet des analgésiques, pourquoi pas, se dit-il, désormais ils ont les moyens médicamenteux de soulager les blessés. Il reprend de plus en plus ses esprits et se dit qu'il n'y a qu'un seul moyen de savoir si son corps fonctionne encore, c'est d'essayer de bouger. Il est faible, il le sait, mais il doit essayer, doucement, de bouger un peu, membre par membre. Il commence par la tête, légèrement vers la gauche, puis vers la droite, pour l'instant ça va. Il décide de bouger sa main droite, d'abord les doigts, puis le poignet, le résultat est encore satisfaisant, maintenant la gauche, c'est OK. Il doit désormais attaquer les jambes, l'angoisse augmente, car il sait très bien que la plupart de temps, après un gros accident, ce sont les jambes qui sont immobilisées à jamais par la paraplégie. Il respire un grand coup et bouge doucement sa jambe droite, puis la gauche, putain, je suis entier. Il pense alors à Leïla, pourvu qu'elle ne soit pas loin, là juste dans le couloir, à attendre le réveil de son chéri. Mais Gaby réalise qu'il ignore combien de temps s'est écoulé depuis l'accident, qu'il était peut-être plongé dans un coma profond, et que plusieurs années se sont écoulées. Tout part en vrac dans sa tête, alors il répète cette phrase, je suis vivant, je suis vivant, je suis vivant, je suis vivant. Tels les moutons qui passent au-dessus de la barrière, il se sent partir vers un sommeil réparateur. Mais le bruit de la porte qui s'ouvre et le claquement de cette même porte qui se referme le sort de l'abîme. Il trouve la force d'émettre au grognement pour alerter l'intrus de son réveil, ce qui ne tarde pas à déclencher un effet. La personne qui est entrée laisse tomber un objet qui se brise en touchant le sol et dit avec une voix féminine, « Oh, mon Dieu ». Trop d'efforts pour Gaby qui replonge dans le sommeil.

Un point lumineux et très intense vient le sortir de son sommeil, la migraine est toujours là, mais plus d'acouphènes. Gaby comprend très vite que cette lumière est celle de la lampe stylo du médecin dont il commence à percevoir la voix.

— Bonjour, je suis le docteur Verdier, n'essayez pas de parler pour l'instant, vous êtes encore intubé, alors vous allez juste me répondre oui ou non avec la tête.

Gaby acquiesce d'un mouvement de tête.

— Vous vous souvenez de votre nom ?

Signe oui.

— Votre date de naissance ?

Signe oui.

— Votre adresse ?

Gaby confirme en godillant sa tête en forme de cercle et en écartant ses yeux pour manifester son agacement face à ces questions qui lui paraissent débiles.

Le docteur Verdier comprend immédiatement et ordonne à l'infirmière de le déconnecter des sondes qui le relient au moniteur et de le débarrasser du tube qui lui obstrue la gorge. Il repositionne son stylo lampe dans sa poche et dit :

— Je repasse vous voir tout à l'heure, mais surtout ne faites aucun effort en attendant, je compte sur votre compréhension.

L'infirmière regarde le docteur Verdier sortir et offre un large sourire à Gaby.

— Ne vous inquiétez pas, je vais prendre soin de vous.

Gaby émet un grognement pour la remercier, puis repose sa tête dans le confort de l'oreiller, mais il reste toujours groggy et a du mal à émerger de cet état de somnolence. Sa vision reste floue et incertaine, mais toujours aucune douleur. Il n'ose à peine remuer de peur de faire saigner une de ses plaies, de faire bouger un os cassé. Pourtant il frémit d'angoisse en pensant qu'il va sortir de cet état de léthargie pour revenir au monde réel et affronter la vérité. Il se souvient que son visage a été fortement touché pendant le choc, et qu'il y a obligatoirement des traces, va-t-il encore plaire à Leïla, et y a-t-il quelqu'un qui l'a prévenue ? Il sent la panique monter en lui, il a envie de pleurer, mais à quoi bon, il sait pertinemment que ça ne le soulagera pas de cette angoisse.

L'infirmière se rapproche de lui et lui dit avec une douceur protectrice :

— Je me suis vraiment ravie que vous soyez sortie du coma, vous êtes une rescapée.

Une rescapée ! Mais d'où elle vient, celle-là, il sent la fatigue repointer le bout de son nez, cette fois il ne veut pas luter et se laisse partir gentiment, juste pour le confort de ne plus penser.

Gaby ouvre les yeux, cette fois la vision est claire, il voit nettement le plafond de la chambre d'hôpital. Sa gorge est libérée de ce tube qui l'empêchait de respirer correctement et de parler. Il ouvre la bouche en grand et prend une grande respiration, l'air est si bon, il faut vraiment vous en priver pour en mesurer la valeur, plus de migraine, et toujours pas de douleur, il en est ravi, la porte s'ouvre et la gentille infirmière apparaît dans son champ de vision.

— Alors comment allez-vous aujourd'hui ?

— Bien, répond Gaby, mais sa voix est étrange, sûrement due au tube du respirateur.

— Je vais vous faire une toilette, et le docteur va passer vous voir très rapidement.

L'infirmière se rapproche et dit doucement :

— Vous revenez de loin, votre cas suscite beaucoup de questionnements chez nos médecins, mais bon, l'important est que vous alliez bien.

Gaby est un peu perdu par les propos de la soignante.

— Merci de…

Gaby interrompt sa phrase, c'est impossible, ce n'est pas sa voix, celle qui sort de sa bouche est féminine, ce n'est pas sa voix !

— Si ça peut vous rassurer, votre période de coma n'a pas altéré votre beauté. Vous êtes très jolie, dit l'infirmière en souriant et en lui faisant un clin d'œil, et si j'ai le temps avant la fin de service, je vous apporterai un peu de maquillage.

Gaby a envie d'exploser, il ne comprend rien à la situation, il sort une main sous les draps et la dirige vers son visage. La main est fine, elle est féminine, ce n'est pas sa main, il la passe sur le visage, ce n'est pas son visage. Il passe la main sur le torse et sent un sein, puis un autre sein, c'est un cauchemar, il va se réveiller.

Le docteur surgi dans la chambre, assisté de deux autres médecins, il se positionne au bout du lit et regarde, comme dans les films, les courbes et observations notées sur la plaquette suspendue au barreau du lit.

— Bonjour, comment allez-vous aujourd'hui ?

Gaby a peur de répondre, il a peur de la voix qui va sortir de sa bouche, pourtant, il prend son courage à deux mains et décide de lui répondre.

— Bien Docteur, mais je ne comprends pas ce qui m'arrive.

— Vous étiez en mort cérébrale, j'avoue ne pas comprendre comment vous êtes revenue à la vie, ce qui me réjouit, votre cas est unique, nous ignorons ce qui vous est arrivé.

— Mais j'ai eu un accident de voiture, en sortant de mon parking, répond Gaby, toujours surpris par sa voix.

— Non, Mademoiselle, c'est moi qui vous ai accueilli aux urgences, vous avez perdu connaissance en courant dans le parc Monceau, ce sont les pompiers qui vous ont amenée ici, pouvez-vous me communiquer votre identité ?

— Oui, Gabriel Declerc…

Il marque un temps mort et déclare : « Je suis un homme ! »

Le docteur sourit avec affection et lui dit :

— Il est possible que votre mémoire soit altérée par la période de coma, c'est assez fréquent chez les patients, un neurologue va passer vous voir, ne vous inquiétez pas, tout va renter dans l'ordre rapidement Mademoiselle Declerc.

Gaby fronce les yeux et regarde la brigade de toubibs sortir de sa chambre, puis il décide d'essayer de se lever. Il sort une jambe du lit et la pose au sol, il est froid, puis la deuxième, il les observe, ce ne sont pas ses jambes. Il s'appuie avec les mains, qui ne sont pas les siennes et se met debout, il ressent un léger vertige, mais c'est largement supportable. Il attrape le support à roulette de sa perfusion et se dirige vers la salle de bains. Il ouvre la porte et avance tête baissée, une fois en face du lavabo, il la redresse pour se regarder dans le miroir. Son cœur s'emballe, il est en sueur, ses mains tremblent, que va-t-il découvrir dans la glace ?

14
Restaurant Le Vario, rue Bayard

Le téléphone du lieutenant Zaoui sonne, il est au restaurant avec ses collègues, il s'excuse et sort de table pour répondre.

— Allo ?

— Bonjour, c'est le docteur Verdier, d'Ambroise Paré, vous vous souvenez de moi ?

— Oui, bonjour Docteur.

— Je vous appelle, car la patiente, vous savez l'inconnue du parc Monceau, elle s'est réveillée, vous pouvez passer l'interroger. Pour l'instant, elle a l'esprit un peu en vrac, mais ça devrait rentrer dans l'ordre rapidement.

— Merci Docteur, je passerai cet après-midi vous voir.

Zaoui rejoint sa table et ses collègues, l'air hagard.

— Ça va Karim ? demande l'un d'eux.

— Ouais, mais la nana du parc Monceau s'est réveillée. Je n'ai rien trouvé sur elle, pas d'avis de disparition, que dalle, elle n'existe pas, et là, elle s'est réveillée, je vais enfin savoir qui elle est.

— Mais ce n'est pas la gonzesse en mort cérébrale dont tu cherches la famille partout pour qu'ils puissent lui prélever les organes ?

— Si, répond Karim, justement, c'est ça qui me perturbe le plus, si j'avais retrouvé sa famille, elle aurait été découpée en morceaux.

— Putain, c'est gore ton affaire, reprend un autre collègue, allez viens finir ton assiette, elle va être froide.

Quand Karim arrive à l'hôpital, il est accueilli par le docteur Verdier, toujours aussi souriant.

— Bonjour lieutenant, comme je vous le disais, elle est un peu perturbée, elle déclare être un homme, elle prétend s'appeler Gabriel Declerc.

— Mais Gabrielle est également un prénom féminin, ça porte à confusion ?

— Absolument, je pense que son coma a altéré une partie de sa mémoire, elle se souvient de certaines choses et en a oublié d'autres, c'est un cas fréquent chez les personnes qui ont subi un traumatisme crânien.

— Mais vous m'avez bien dit qu'elle n'avait pas subi de trauma, alors pourquoi cette perte ou modification de mémoire ?

— Pour nous ça reste un mystère, d'ailleurs cette femme est un mystère. Elle était en mort cérébrale, et voilà qu'elle se réveille en pleine forme, juste un trouble post-traumatique, elle prétend être un homme, le physique est parfait, aucune lésion, elle est tout simplement revenue à la vie.

— OK doc, merci pour les infos, je vais aller la voir, quel est son numéro de chambre ?

— 428, service gynécologie, il n'y a que là où nous disposions d'un lit.

Gaby est là devant le miroir de la salle de bains, il observe ce visage féminin, cette finesse du nez, les lèvres bien dessinées, ce regard complètement inconnu, mais, pourtant le sien. Que fait-il dans ce corps, pourquoi est-il en train de devenir fou, subit-il une amnésie qui modifie complètement ses souvenirs, des souvenirs pourtant si réels, des souvenirs pourtant si palpables ? Il doit vérifier, il doit sortir d'ici pour s'assurer qu'il n'est pas dans un délire dû au médicament qu'on lui injecte. Il s'éloigne un peu du miroir et fronce les yeux, comme pour essayer de voir s'il y a quelque chose de caché en subliminal, comme dans ces images à double vision. Il se concentre sur les yeux, le même vert que lui, la forme également, mais rien de précis. Il faut prévenir Leïla, mais comment, va-t-elle le croire, ou le reconnaître. Comment la convaincre que c'est bien lui, dans ce corps de femme, qui est plutôt jolie, se dit Gaby en souriant, mais pas longtemps, l'angoisse ressurgit instantanément quand on frappe à la porte.

Karim frappe délicatement à la porte de la chambre 428, une voix féminine et douce lui répond d'entrer.

— Bonjour, je suis le lieutenant Karim Zaoui, j'espère ne pas vous déranger, mais je dois vous poser quelques questions, dit-il en se positionnant sur le rebord de la fenêtre.

Karim Zaoui est un jeune homme agréable, le visage plutôt fin et un début de calvitie qui le vieillit de quelques années, il sort un calepin de la poche latérale de son blouson et un stylo de l'autre.

— Vous pouvez me dire comment vous vous appelez ?

— Gabriel Declerc.

— Merci, Karim inscrit sur son calepin Gabrielle Declerc.

— Votre adresse ?

— Résidence 34 Bellerive à Puteaux.

— Vous souvenez-vous de ce qui vous est arrivé ?

— Oui, j'ai eu un accident de voiture en sortant de mon parking.

— Je suis vraiment désolé, dit Karim un peu gêné, vous avez fait un malaise en faisant votre footing dans le parc Monceau, vous êtes restée dans le coma deux semaines.

— Oui, c'est ce qu'on m'a dit ici, mais c'est faux, j'ai eu un accident de voiture, ils ont dû se tromper en m'enregistrant à mon arrivée aux urgences.

Gaby commence à ne plus croire non plus à cette version, un accident et pas une égratignure, il a beau réfléchir, tout s'embrouille dans sa tête. Karim voyant que la discussion serait stérile et que son interlocutrice était complètement à l'ouest décide de mettre fin à l'échange.

— Écoutez Mademoiselle, je vais retourner au bureau et faire des recherches, maintenant que j'ai votre nom, tout va bien se passer, essayez de vous reposer en attendant, je reviens vous voir dès que je peux et que j'ai des informations à vous communiquer.

— OK, très bien, merci d'être venu.

Gaby regarde le policier sortir de sa chambre et décide de prendre le téléphone sur sa table de chevet et compose le zéro, il attend et une tonalité retentit.

— Bonjour, le standard, j'écoute ?

— Bonjour Madame, pouvez-vous me composer un numéro s'il vous plaît ?

— Bien sûr qu'elle est votre numéro de chambre ?

Karim sort de l'établissement, le soleil apparaît derrière les nuages. Il enlève son blouson, le prend par le col et le bascule sur son épaule, le carnet tombe et glisse sous la voiture à proximité. Il ne s'en aperçoit pas et continue sa route en profitant du rayon de soleil qui lui chauffe le visage.

— Bonjour Leï !

— T'es qui toi, pour m'appeler Leï ? répond Leïla agressivement en ne reconnaissant pas la voix de la personne au bout du fil.

— Je t'en prie, ne raccroche pas, ça va te paraître bizarre, mais c'est moi… Gaby.

— Écoute espèce de pute, je ne sais pas qui tu es, mais ne joue pas avec ça, si je te retrouve, je te bute, t'as pigé ?

— C'est vraiment moi, je suis à l'hôpital Ambroise-Paré, je ne comprends rien à ce qui se passe, mais tu dois impérativement me croire et venir me chercher.

— Te chercher ? Mais j'sais même pas qui tu es, alors lâche l'affaire et ne me casse pas les couilles, t'as compris ?

— Putain de merde ! reprend Gaby en haussant la voix, tu dois me croire, tu dois venir ici, j'ai besoin de te parler, et si tu ne me crois pas, toi et ta lipette vous repartirez !

— Pardon ?

Entendant le mot « lipette », elle ne l'a employé uniquement avec Gaby. Comment cette gonzesse connaît-elle le nom que je donne à ma foufoune ?

— Que sais-tu d'autre à mon sujet ?

— Quasiment tout de ta vie, où tu es née, à Saint-Denis, où tu habites, à Lamorlaye, ton frère Sofiane, mon seul ami, tes parents à Villeneuve-la-Garenne, ta mère italienne et ton père marocain. Même le code de ton coffre-fort chez toi, 15 031 936, etc., etc., etc., crois-moi, tu dois venir et rapidement.

Leïla se met à frissonner, complètement bouleversée par cet entretien avec cette inconnue qui en sait tant sur elle, qui se présente comme étant Gaby, son ami, son amour. Mais qui est cette femme qui connaît tout à son sujet, sa curiosité la pousse à voir de plus près cette personne en chair et en os. Elle respire un grand coup et revient à la réalité, c'est sûrement une ancienne conquête de Gaby, mais en temps normal il lui en aurait parlé, elle se force à reprendre ses esprits, et lui dit :

— Écoute-moi bien, je vais venir, même si je suis sûre que tu me pipotes, prépare-toi, parce que tu ne vas pas te foutre de ma gueule longtemps. Gaby a été enterré hier et je suis de mauvais poil !

— Enterré hier ?

Les mots sont comme un coup de massue, Gaby est sur le point de s'évanouir. Mort ! Je suis mort ! Il s'assied et reprend sa respiration. Les larmes inondent ses yeux, son cœur bat à plus de deux cents, ses mains se mettent à trembler, il sent la sueur lui couler dans le dos. Il a envie de hurler, de taper dans les murs, mais son corps est comme figé sur ce lit. Il faut maintenant attendre que Leïla arrive, et ne pas paniquer. Mais comment réussir à la convaincre, avec quels moyens, elle a l'air si énervée !

Une heure plus tard, Gaby entend le bruit des talons de Leïla claquer sur le sol en carrelage du couloir. Il reconnaît sa façon de marcher, sa manière de claquer plus fort le talon droit, et surtout cette démarche volontaire que rien ne semble pouvoir arrêter. La porte s'ouvre brutalement, elle apparaît dans le chambranle, elle est à contre-jour, il n'arrive pas bien à distinguer son visage. Il se redresse dans son lit, s'appuie contre l'oreiller et attend qu'elle s'avance davantage pour sortir de la pénombre et apercevoir son visage. Elle fait trois pas et vient se positionner contre le mur en face du lit, elle s'appuie contre le mur sans prononcer le moindre mot. Elle a les traits tirés, elle est mal maquillée, ce qui n'est pas dans ses habitudes, elle le regarde, incline légèrement la tête tout en fronçant le front, son regard est froid.

— OK, je t'écoute !

— Je suis vraiment désolé, mais tu dois me croire, je suis réellement Gaby. Je ne comprends rien à ce qui m'arrive, je sais que j'ai eu un accident de voiture et je me réveille dans ce corps que je ne connais pas.

— Tu es en train de te foutre de ma gueule, là ?

— Non, tu dois me croire, je t'en prie, fais un effort, ouvre ton esprit et regarde-moi bien !

— Je vois qu'une pute qui veut se faire passer pour mon meilleur ami que j'ai enterré hier. Je te préviens, mon seuil de tolérance est au-dessous de zéro, alors tu arrêtes ton cinéma et dis-moi ce que tu veux et qui tu es !

— Tu dois me croire, je n'y comprends rien moi-même à cette situation, et suis complètement perdu, mais je me souviens très bien de notre dernière nuit ensemble, de ton strip-tease sur Joe Cocker et…

Leïla reste stoïque et calme.

— Ta gueule, comment tu sais ça ?

— Je viens de te le dire ! C'est moi… Gaby.

— OK, et comment tu connais le code de mon coffre ?

— Tu me l'as donné le jour où tu étais en vacances au Maroc et que tu avais perdu ta pièce d'identité, je suis passé chez toi pour récupérer ton passeport et te l'envoyer.

— Quel expéditeur ?

— DHL.

— Quelle adresse ?

— Si je ne me trompe pas, hôtel Mandarin Oriental à Marrakech, chambre 222, j'ai une excellente mémoire, et tu le sais !

Leïla la regarde dans les yeux, elle a tant envie de croire à cette histoire de fou, de retrouver Gabriel. Le seul homme qui lui a apporté tant de plaisir, son amant, son copain, son confident, celui qui la comprend et la soutient dans ses projets, elle peut le dire, l'homme de sa vie.

— J'ignore encore comment tu connais autant de choses sur moi, mais je vais trouver qui t'a aussi bien renseigné sur ma vie

— C'est toi qui m'as tout dit, tout simplement.

Leïla se dirige vers le lit avec hésitation, elle se rapproche de Gaby, elle s'incline vers son visage, vient positionner ses lèvres à deux centimètres de son oreille et lui susurre :

— Tu serais prêt à payer combien pour une fille comme moi ?

Gaby sourit, il sait que cette question est le début d'une acceptation de sa part, et que sa réponse sera le facteur déclenchant vers la porte de sortie. Seule Leïla peut l'aider à sortir de cet hôpital, il la regarde dans les yeux, ces yeux qu'il adore tant et répond :

— Ma vie, je suis prêt à payer de ma vie pour toi !

Leïla acquiesce la réponse, elle en est choquée. C'est impossible, c'est impossible ! Elle se redresse, son corps entier tremble, ses yeux noirs se mettent à briller de larmes, elle veut y croire, elle ne demande que ça, mais comment est-ce possible ? Hier, elle enterrerait l'homme qu'elle aimait et aujourd'hui, c'est dans le corps d'une femme qu'il prétend revenir, tel un boomerang. Elle est totalement perdue, et pourtant, c'est plus fort qu'elle, elle a besoin d'y croire. Elle décide alors de s'approcher encore, et embrasse la femme, qui se laisse faire et lui rend son baiser avec passion.

— Tu embrasses bien !

— Je sais, tu me l'as déjà dit, alors tu me crois maintenant ?

— Je ne sais que croire, il me faut une explication, comment est-ce possible comment pourrais-tu être Gabriel ?

— J'ai une hypothèse, pas facile d'y adhérer, mais elle existe. Il y a des ouvrages là-dessus, il y a même des personnes qui font des thèses sur ce sujet, ça s'appelle les « walk-ins ». C'est le transfert de l'âme d'un corps vers un autre, je connais quelqu'un qui connaît bien ce sujet. Cette personne peut peut-être m'apporter une explication, je dois partir d'ici et rentrer chez moi. Tu as toujours mes clés ?

— Mais c'est impossible, les flics ont posé les scellés !

— Pourquoi des scellés ? C'est ridicule !

— Mais tu te souviens de tout ? Tu es sûr ?

— Oui, jusqu'à ce que je perde connaissance, juste après le choc de l'accident !

— Ce n'était pas un accident !

— Comment ça, ce n'était pas un accident ?

— Tu... Tu as été assassiné, les flics mènent une enquête, nous avons tous été interrogés, c'est le commandant Servat qui s'occupe du dossier, il recherche l'homme qui...

Leïla marque un arrêt.

— L'homme qui t'a, enfin tu comprends, il serait impliqué dans un autre meurtre.

Gaby absorbe cette nouvelle information, et retombe sur son lit.

— Putain, mais c'est quoi cette histoire, ils ont des infos sur l'homme ?

— Je pense que oui, ils nous ont demandé si on avait déjà repéré auparavant la présence d'un homme de grande taille avec une démarche basculante, mais non, jamais vu !

Gaby se passe la main dans les cheveux, ferme les yeux et respire un grand coup.

— Moi oui, j'ai déjà vu cet homme, à Puteaux, sur l'île où je cours et dans le 16e, à côté de la concession. Il me suivait !

— On doit aller voir les flics ! dit Leïla.

— Non, je dois dans un premier temps comprendre ce qui m'arrive et ensuite, prouver que je suis « moi », sinon ils vont m'enfermer. On va chez moi, je dois récupérer des affaires et des papiers, tant pis pour les scellés. Un flic du commissariat du 8e est venu me voir, je lui ai donné mon identité et mon adresse, ils vont vite faire le rapprochement, on doit se dépêcher !

— Tu es sûr que tu veux sortir d'ici ? L'homme est toujours en liberté, et...

— J'ignore pourquoi cet homme a voulu me tuer, mais je dois le découvrir et puis, comment veux-tu qu'il me reconnaisse, je n'y arrive pas moi-même.

— Oui, c'est pas faux. Prends tes fringues, on se casse !

Gaby se lève, il utilise son nouveau corps avec hésitation, il marche doucement, ouvre le placard, prend les affaires et va dans la salle d'eau pour s'habiller.

Leïla l'observe, encore étonnée de ce qu'elle est en train de faire. Comment elle, la rebelle, la cartésienne admet de croire à cette histoire rocambolesque. Pourtant le regard de cette femme lui est familier, voire intime, même complice. Et s'il fallait ne serait-ce qu'une fois dans sa vie, lâcher tous ses préjugés et foncer ? Cette femme qui prétend être Gaby lui donne envie d'y croire. Aussi étrange que ça puisse paraître, elle tape walk-ins sur son téléphone et tombe directement sur des témoignages de gens qui prétendent revenir de la mort ou d'avoir reçu partiellement une autre personne en eux.

Gaby arrive habillé en survêtement, regarde Leïla et dit d'un air grave :

— On y va ?

15
Commissariat du 8e arrondissement

Karim Zaoui arrive au commissariat, rejoint son bureau et allume son ordinateur. Il se connecte sur le serveur central de la police et va ouvrir le fichier national des renseignements. Ce fichier contient tout ce qui concerne les personnes, qui pour une raison ou une autre, ont eu affaire avec la justice, que ce soit un PV de stationnement non payé, une soirée trop arrosée ou de plus graves délits. Les données sont enregistrées dans ce moteur de recherche. Il commence son investigation sur la jeune femme du nom de Gabrielle Declerc, la page des recherches s'ouvre et Karim va pouvoir remplir le fichier. Il descend sa main en direction de la poche de son blouson, mais ne trouve pas son calepin, il fait l'autre poche, rien. Il se dit qu'il est peut-être tombé dans la voiture, il se relève et va jusqu'à son véhicule garé devant le commissariat, à deux pas du Grand Palais. C'est la particularité de ce commissariat, il est attenant au Grand Palais. Il fouille partout, mais en vain, merde, se dit Karim, où est ce putain de calepin, il doit se rendre à l'évidence, il l'a perdu, sûrement sur le parking de l'hôpital. Il rejoint son bureau en s'insultant de tous les noms, il se repositionne devant son PC et commence à remplir les informations qu'il a en mémoire :

Nom : DECLERC

Prénoms : Gabrielle

Date de naissance : Inconnu

Quand on applique la réponse inconnue au serveur, il ouvre un sous-menu.

Âge : entre 30 et 35 ans

Taille : environ 170 cm

Couleurs des yeux : Vert

Signes particuliers apparents : Néant

Adresse : Puteaux

Karim lance la recherche avec ce peu d'informations dont il se souvient et tape « Enter ».

Un logo aux couleurs bleu, blanc et rouge tourne indiquant que la recherche est lancée, Karim attend patiemment devant son écran, mais c'est sans surprise que la réponse tombe :

Personne inconnue de nos services.

Il met une claque à son écran, se lève pour aller chercher un café au distributeur quand il sent la vibration de son téléphone dans sa poche.

— Allo ?

— C'est le docteur Verdier, elle a disparu !

— Comment ça, elle a disparu ?

— Elle est partie, elle a repris ses affaires et a quitté notre établissement.

— Merde, fait chier, exprime Karim en haussant la voix.

— Vous savez, reprend Verdier, il y a entre 10 000 et 15 000 personnes par an en France qui disparaissent volontairement. Cette jeune femme en faisait peut-être partie, ce qui explique qu'elle prétendait être un homme, avec un faux nom, pour éviter que vous puissiez retrouver ses proches, qu'elle avait fait le choix de quitter. Ce sont des cas très complexes, en ce qui nous concerne, nous allons archiver ses renseignements. Si un jour vous en avez besoin, elle a été enregistrée sous « Inconnue

Parc Monceau ». Voilà lieutenant, je vais vous laisser, je dois retourner à mon poste.

— Merci Docteur pour vos infos, au revoir.

La sonnerie de sa boîte mail retentit, Karim l'ouvre et lit :

Service DRH.

« Dans le cadre de votre demande de mutation, vous êtes convoqué dans nos servies, 36 rue du Bastion 75017 Paris, le dimanche 23 avril 2023 à 10 h 30 pour un entretien avec Mme Duprès. Si vous ne pouvez pas être présent à cette date, merci d'en informer nos services. »

16
36 rue du Bastion

Rudy est posté devant la fenêtre de son bureau, comme chaque matin quand il arrive. Il passe par la machine à café et vient le boire devant sa fenêtre, il observe les automobilistes qui patientent dans les embouteillages quotidiens pour aller travailler. Il aperçoit au loin la valse des avions qui descendent lentement vers l'aéroport de Roissy-Charles-de-Gaulle. Le matin, c'est l'heure de pointe aussi chez les pilotes, une grande partie des longs courriers pointent leur nez au lever du jour. Il pense à Valérie, elle dormait encore quand il est parti ce matin, il regarde sa montre, 9 h 04, elle doit être réveillée. Il décide de lui passer un petit coup de fil, il adore entendre sa voix, surtout quand le moral n'est pas à son apogée, comme maintenant. Son enquête n'a pas avancé depuis deux semaines, rien sur l'homme aux prothèses, impossible de trouver une trace ni des prothèses ni du cimeterre. Rien non plus sur la brune des vidéos de surveillance, elle n'existe pas. Aucune cohérence entre Natalia Ivanenko et Gabriel Declerc, un vendeur de voitures respectable avec un oncle ancien militaire, aucune infraction, pas de suspicions fiscales, un chef d'entreprise honnête. Quel rapport avec Natalia ? Pourquoi le type les a tués tous les deux ? Il y a forcément un lien, et cerise sur le gâteau, Laura est en ITT. Elle s'est cassé deux côtes pendant une arrestation musclée avec un dealer. Il lui a infligé un coup de pied violent au thorax. Elle, elle lui a répondu en lui pliant la jambe en deux, mais dans le sens inverse, sans compter les dents qu'elle lui a fait sauter. Il n'est pas près de recourir, celui-là.

Il saisit son téléphone et compose le numéro de Valérie.

— Bonjour mon cœur, répond sa voix douce, tu vas bien ? Tu es au bureau ?

— Bonjour chérie, ça va, et toi ? Tu es levée ?

Rudy reste encore surpris par la vitesse à laquelle leur relation évolue, ils se connaissent depuis à peine trois semaines et pourtant il a l'impression d'être avec elle depuis toujours.

Valérie ne travaille plus à l'étude notariale. La saisie des ordinateurs par la brigade financière a révélé des abus de bien sociaux, l'emploi fictif de Natalia, mais surtout des centaines de photos pédopornographiques dans le PC de Bréand. Il est aujourd'hui mis en examen, avec interdiction de quitter le territoire. Valérie a immédiatement présenté sa démission, hors de question de rester avec ces pervers malsains. Les circonstances lui ont permis de toucher les indemnités chômage. Elle a donc décidé de prendre une petite année sabbatique pour s'occuper de sa fille et surtout de son nouvel amour, le beau commandant Servat. Elle est très fière de lui, chaque fois qu'elle le présente à ses amis, elle jubile de l'admiration que les personnes peuvent avoir pour cet homme qui a autant de charisme. Ses copines l'envient et Rudy se sent pour la première fois de sa vie admiré, regardé comme un chef de famille, comme un patriarche. Il a hâte de la présenter à Léna, sa fille. Il lui parle de Valérie dans chacun de ses textos ou appels WhatsApp, il se dit que le bonheur est une chose bien, une valeur que l'on doit protéger et faire en sorte de le conserver. Bien sûr sa petite protégée aux côtes cassées en fait partie, Valérie aime beaucoup

Laura, qui le lui rend très bien. La mère de la jeune femme refuse tout contact et elle en souffre.

— Oui je suis levée, je dois accompagner Rebecca à son examen d'art à 10 h 30. Ensuite, je dois passer voir Laura vers 15 heures, elle veut apprendre à faire des crêpes, je sais c'est une drôle d'idée, mais tu me connais, je ne peux rien refuser à cette frimousse.

Rudy se réjouit que son univers de flic soit accepté par les proches de Valérie.

— OK ma douce, profite bien de ta journée, je t'aime.

— Moi aussi je m'aime ! répond sur un ton espiègle Valérie.

Rudy raccroche en souriant, on tape à la porte.

— Entrez !

— Bonjour, chef !

Djibril apparaît.

— Chef, vous m'avez demandé de continuer à fouiller côté First Lady, j'ai trouvé un truc chelou. Votre vendeur de voitures Gabriel je ne sais plus quoi, il connaissait Natalia Ivanenko, ils étaient tous les deux membres de cette boîte à baise, et ils avaient tous les deux des dates, ils niquaient ensemble.

Rudy a enfin le lien entre Natalia et Gabriel, encore une fois, le fil conducteur est cette fameuse agence dont on lui interdit de s'approcher.

— Merci Djibril super boulot, je ne sais toujours pas comment tu fais, mais, super boulot quand même, on va pouvoir enfin avancer vers d'autres sources sur ce dossier.

— De rien, boss, c'est trop flatteur, je kiffe grave quand je peux vous étonner !

Rudy se tourne vers la fenêtre, il aperçoit son reflet, il savait que cette agence cachait des ressources inestimables, mais de là à relancer son enquête, quel pied ! Il se réjouit de cette information, mais ce n'est pas fini, c'est jour de fête, car Xavier du service des stups, entre en annonçant :

— Salut, Rudy, c'est toi qui recherches un boiteux ? J'ai un indic qui m'a parlé d'un gars louche avec une démarche de girafe, selon ses dires, il crécherait vers la porte de la Chapelle !

— Ton info est sûre ?

— Reste à vérifier, mais le gars est formel, il y a un dingue avec un accent russe qui habite l'immeuble où il deale, ce gars lui fait même peur !

— Merci, Xavier, je monte une équipe, je peux intervenir sans mettre le bordel dans tes planques ?

— Non, j'ai personne en poste ces jours-ci, mais sois quand même prudent, apparemment ce n'est pas un petit gabarit, mais au fait, elle n'est pas là, Calamity Jane ?

— Non en ITT, elle s'est fait trois côtes en pliant un dealer en deux !

— Putain, elle m'étonnera toujours. Fais gaffe quand même, je préviens mon équipe que tu interviens dans le secteur.

— Merci, je demande un mandat à Delerme et je te tiens au jus.

Rudy obtient très rapidement le mandat, sort de son bureau, puis se dirige vers l'open space dédié aux enquêteurs. Il demande le silence et convie Paul, Hakim et Fred.

— Vous venez avec moi, prenez les gilets et le bélier.

Les trois hommes s'exécutent sans broncher, et rejoignent Rudy dans le parking.

— Où va-t-on ? demande Paul.

— Porte de la Chapelle, immeuble Le Bosphore. On cherche le tueur aux prothèses, un indic des Stups l'aurait vu dans cet immeuble, un appartement au cinquième étage. Il est le principal suspect dans les meurtres d'Ivananko et Declerc, ce serait un spécialiste des arts martiaux, particulièrement le sabre, alors restez sur vos gardes.

— OK boss, répond Hakim en mettant son gilet pare-balles.

Les quatre hommes montent dans la voiture de Rudy et prennent la direction de la porte de la Chapelle qui n'est qu'à quelques minutes en mode speed. Rudy enclenche sa sirène et met son gyrophare, puis il appuie sur l'accélérateur de sa voiture électrique. C'est la première fois qu'il la sollicite en position sportive, il est même agréablement surpris par la vitesse qu'il peut atteindre en quelques secondes.

Rudy gare sa Mégane boulevard de la Chapelle, il met son brassard et ils prennent la direction de l'immeuble Le Bosphore. Des sifflements et autres cris retentissent pour prévenir la présence des condés dans le coin. Rudy aperçoit les dealers du hall disparaître dans les accès des caves, les policiers regardent en l'air pour s'assurer qu'il n'y a pas d'objets qui vont tomber des fenêtres. Normalement, Xavier a prévenu son indic de leur passage, ils sont censés ne rencontrer aucune opposition à leur entrée dans l'immeuble, les informations précisent que l'homme habite au cinquième étage porte gauche en sortant de l'ascenseur. Quand ils arrivent sur le palier, le calme est pesant, pas de bruits d'enfants ou d'engueulades, comme on peut imaginer dans ces immeubles vétustes gérés par des marchands de sommeil qui profitent de cette misère migratoire. Les quatre policiers se positionnent devant la porte, Hakim frappe à la porte en se présentant.

— Police, ouvrez !

Pas de réponse, Rudy fait signe à Fred de prendre le bélier. Il arme et en un seul coup, il fracasse la porte qui tombe de tout son poids dans l'entrée de l'appartement. Ils s'investissent l'appartement en criant « Police ». Ce sont les méthodes apprises à l'école de police pour déstabiliser les éventuels occupants, mais rien, l'appartement est vide. Juste une table, des chaises et un grand sac en toile rempli de chiffons tassés et de sable accroché au plafond. Il y a sur la toile de ce sac des traces de lacérations très nettes d'où sortent des surplus de chiffons comme des viscères. Ça ne fait aucun doute, ils sont dans la caverne du loup. Ils visitent entièrement l'appartement, tout est vidé, rien dans les placards, aucune fringue, le frigo est également vide, arrêté et dont la porte est maintenue entrouverte par le coin d'une chaise pour éviter les mauvaises odeurs. Une chose est sûre, le loup a quitté les lieux, mais, où est-il parti ?

Le téléphone de Rudy vibre, il le sort de sa poche, regarde l'écran, c'est Manu, il décroche.

— Allo ?

— Salut commandant, c'est ton scientifique préféré !

— Oui, merci Manu, je sais, ton nom s'affiche, que veux-tu ?

— Après Marie-Antoinette, nous avons Louis XVI, même mode opératoire, par contre, moins d'attentions, cette fois la tête est dans un seau.

— Et on connaît Louis XVI ?

— Apparemment tu connais, c'est un notaire du nom de Sebastian Bréand.

— J'arrive ! répond froidement Rudy en regardant ses trois hommes, on a du pain sur la planche !

17
Vision d'ensemble

Dans l'Audi TT qui les conduit vers Puteaux, l'air est plutôt pesant. Leïla n'ose à peine regarder Gaby, qui est enfoncé dans les sièges baquets du coupé sport. La tête posée sur l'appuie-tête, il regarde dehors, on sent la détresse qui l'habite, il se redresse légèrement et oriente son regard vers Leïla et demande :

— Il y avait qui, à mon enterrement ?

Les yeux de Leïla se mettent à briller.

— Tu sais c'était un enterrement très privé, juste Tonton Will, Sofiane, Stéphanie complètement effondrée et moi, comme c'était un homicide, la police devait être présente, donc deux flics sont restés.

— Comment as-tu pu contacter Tonton ?

— Je l'ai attrapé à l'aéroport de Roissy, il était en train d'embarquer.

— Comment va-t-il ?

— Bof, il se remet tout doucement, ça fait drôle de voir cette force de la nature, ce guerrier, plonger dans la détresse, il t'aime vraiment beaucoup, tu sais ? On devrait peut-être le prévenir ?

— Non, pas pour le moment, on doit en savoir plus sur l'homme qui souhaite ma peau, je ne veux mettre personne en danger, et puis, comment lui expliquer cette transformation !

— Comme tu voudras, répond Leïla avant de mettre son clignotant pour prendre la direction du garage de la résidence.

— Tu as toujours le bip du parking ?

— Oui, mais je ne suis pas repassée là depuis l'accident.

En effet, Gaby observe le pilier sur lequel il a été propulsé par le camion. Les traces de chocs sont impressionnantes, il manque des morceaux de béton. Il y a des traces de peinture de sa Maserati incrustées, la vision du lieu l'indispose. Il a du mal à imaginer l'état de sa GT, et il repense à l'accident de Lady Di sous le pont de l'Alma. Leïla appuie sur le biper et le gyrophare au-dessus de la grande porte en tôle se met à clignoter. Elle s'engage dans les allées du parking et vient se garer sur la place de Gaby, elle coupe le contact et le regarde.

— Ça va aller ?

— Oui, je dois affronter la réalité, et puis si je suis encore vivant, c'est une raison que je dois également découvrir. Mais surtout, à qui appartient ce corps, et pourquoi ce corps, quel est le lien entre nous deux ? Je dois absolument voir Eva, la personne que je connais. Elle assiste à une vente privée d'œuvres, j'ai une invitation chez moi, je vais la récupérer, elle saura peut-être me dire ce qu'il m'arrive, et si je suis vraiment un walk-in.

Tout en marchant vers l'ascenseur, Leïla recherche sur internet le mot que vient d'évoquer Gaby. Elle tombe tout de suite sur le transfert de l'âme humaine ou animale d'un corps vers un autre, la liaison est coupée dans l'ascenseur. Ils arrivent sur le palier, elle déverrouille la porte en arrachant le ruban posé par la police.

Leïla s'assure que personne ne les a vus, puis referme la porte sans la claquer. Gaby se dirige immédiatement vers son meuble laqué noir, ouvre la porte du compartiment bar, enlève toutes les bouteilles et soulève une petite trappe laissant apparaître un digicode. Il tape une série de chiffres et la planche principale du fond du compartiment se débloque en émettant un petit clac ! Leïla le regarde avec stupéfaction, il plonge sa main dans la cachette et en ressort une liasse de billets, une arme de poing, un Beretta 92 avec un petit sac de cartouches, et un téléphone prépayé.

— C'est quoi ce bordel ?

— Tu oublies que mon meilleur ami est un repris de justice, fait Gaby en clignant de l'œil.

— C'est mon frère qui t'a installé cette cachette ?

— Oui, je trouvais ça ridicule, mais aujourd'hui, pas du tout !

Gaby se dirige vers le coin salon où il avait posé l'invitation, il se rend compte à ce moment que son appartement a été fouillé par la police. Ils ne sont pas très délicats, pense-t-il en retrouvant l'invite qu'il avait posée dans la boîte à courrier et la tend à Leïla :

— Tiens garde-moi ça, je vais prendre quelques fringues.

Leïla éclate de rire :

— Tu crois que tu vas trouver des fringues pour toi dans cette penderie de gros macho ?

— C'est pas faux, tu pourras me prendre en charge sur ce sujet ?

— Oui, bien sûr, mais s'il te plaît, magne-toi le fion, on doit se casser d'ici au plus vite.

Gaby prend quand même son passeport et les cartes bancaires dans le tiroir de sa commode, il prend également son flacon de parfum, ce qui fait rire Leïla, il jette un œil et concède de quitter l'appartement.

— Où va-t-on maintenant ? demande Leïla.

— Chez toi, à Lamorlaye, je dois me reposer pour réfléchir en attendant de trouver une solution.

— OK ma couille, on y va.

18
Camping des Sources, L'Isle-Adam

Sergeï ouvre la porte du mobile home qu'il a loué via un site sur internet. Il est tranquille ici, loin de cette misère de la porte de la Chapelle, infestée de dealers et de cafards, il ne supporte pas la crasse. Il est maniaque, il enlève ses baskets pour entrer dans la petite structure de dix-huit mètres carrés. Il s'assoit et envisage de remplacer ses prothèses, il vient de faire son footing le long de l'Oise, sur l'ancien chemin de halage. Il a décidé de poser ses valises à L'Isle-Adam, une petite ville du val d'Oise à trente kilomètres de Paris, il y apprécie la tranquillité de la province française. Sergeï a deux types de prothèses, celles en carbone, qui lui permettent d'être plus rapide, plus grand également. Ça lui offre de belles performances quand il est en mission, la vitesse, la taille pour voir autour de lui, et les prothèses de ville, en composite, imitant à s'y méprendre à de vraies jambes. Mais avec celles-ci, il devient un homme basique, de taille normale, impossible de courir, il lui suffit de mettre un manteau, une casquette, et il devient un petit bonhomme aux allures de retraité, incognito.

Sergeï s'assoit sur la banquette face à la table pliante, il regarde l'ordinateur et le téléphone de Natalia, dans lesquels il a récupéré des informations, mais pas celles qui font l'objet de sa mission. Il ouvre son ordinateur, enclenche le partage de connexion de son smartphone, active le VPN et tape toute une série de mots de passe. Il accède à la page qui l'intéresse, il coche la photo du notaire Sebastian Bréand et télécharge un nouveau dossier, une nouvelle photo apparaît. Il a également un message précisant qu'il faut impérativement retrouver l'amie de Natalia, « Victoria » qui doit sûrement avoir la clé USB que nous recherchons. Sergeï analyse le nouveau dossier et se déconnecte, il doit désormais préparer sa nouvelle mission.

Sergeï est né dans une banlieue populaire de Moscou au début des années soixante-dix. Très pauvre, son père s'était engagé dans l'armée et partit en Afghanistan en octobre 1980. Il perdit la vie dans la province de Kounar pendant une embuscade des combattants moudjahidines en juin 1981. Laissant sa mère sans revenus, elle s'est très vite prostituée pour subvenir aux besoins de la petite famille, pour payer la nourriture et le loyer, et mourut quelques années plus tard de la tuberculose. Sergeï commença le trafic de cigarettes dès ses 13 ans. Il tomba dans la violence en exécutant de petits contrats de passages à tabac des concurrents de l'organisation pour laquelle il travaillait. À 17 ans, il décida de s'engager dans l'armée et comme son père, il partit également en Afghanistan. Il quitta le pays dix mois après son arrivée, mais cette période lui donna le goût de la violence extrême, il resta dans l'armée jusqu'en 2014. Il intégra le groupe Wagner, tout juste créé. Il se sentit bien au sein de cette unité d'élite dont les moyens et la méthode restaient douteux. C'est pendant une mission en Syrie que Sergeï rencontra Mahmoud, un mercenaire indépendant saoudien qui exécutait des contrats pour quelques centaines de dollars, sa spécialité étant la décapitation au sabre. C'est lui qui apprit à Sergeï l'art de l'utilisation du cimeterre et lui offrit celui avec lequel il opère aujourd'hui. Un an après, lors d'une mission en Afrique, il a été victime d'une mine antipersonnel. Il perdit ses deux jambes en dessous des genoux, après deux années de rééducation, il décida de reprendre du service en indépendant et de louer ses services aux plus offrants.

Sergeï prend une douche, s'équipe de ses prothèses de ville, finit de s'habiller et monte dans la Peugeot 308 de location. Il observe la photo qu'il a téléchargée sur son portable, met le contact et quitte le camping en direction de Paris. Il part en repérage pour la nouvelle mission qui lui a été confiée, mais il reste tout de même cette femme, Victoria, l'amie de Natalia retrouvée, et dont il a totalement perdu la trace.

19
Neuvième avenue

Sur la route, Gaby s'est blotti dans le siège baquet de l'Audi TT. Il essaye de réunir ses pensées, il regarde défiler les bandes blanches sur les bas-côtés de la nationale 16. Les questions se positionnent dans son esprit sans ordres de priorités, pourtant, il a besoin de tellement de réponses.

— Comment ça se passe à la concession ? demande Gaby en regardant Leïla.

— En toute logique, la seule famille connue est ton oncle Will, il a demandé à Stéphanie de reprendre les rênes de la boutique en attendant. Ta disparition est beaucoup trop fraîche pour prendre des décisions, Will est complètement perdu face à cette situation. Sofiane s'est également proposé pour l'aider, mais tu la connais, Stéphanie est têtue et a refusé toute aide, je pense par fierté, mais surtout au nom de ta mémoire. Elle est vraiment touchée, elle, et toute ton équipe. Will doit désigner un notaire pour les actes, il m'a dit que ce sera celui qui s'est occupé de la succession de tes parents. Il va vraiment falloir trouver une solution pour les prévenir, lui et Sofiane, nous allons avoir besoin de leur aide pour gérer cette situation, et savoir qui en voulait à ta peau.

— C'est peut-être un mari jaloux dont la femme est inscrite dans ton club de baise ?

— Non impossible, la plupart des femmes mariées qui sont membres de l'agence sont soit célibataires ou alors le mari est membre également. C'est un club de rencontre très sécurisé. En plus tu m'as bien dit que le flic, le commandant… Je ne sais plus le nom, qui était sur une enquête de plusieurs meurtres. Il faut se renseigner sur les autres victimes de ce tueur, il y a peut-être un lien.

— J'ai gardé sa carte de visite, je peux l'appeler pour savoir s'ils ont avancé sur l'enquête, et essayer de prêcher le faux pour savoir le vrai !

— OK, tu appelleras demain.

Ils arrivent à Luzarches, à quelques kilomètres de Lamorlaye, Leïla contourne un rond-point et continue sa route sur la N16. Elle accélère un grand coup faisant chasser le cul de la voiture, comme pour évacuer une colère ou une frustration incontrôlée. En quelques minutes, ils passent le panneau de Lamorlaye. Elle s'engage dans le centre-ville, traverse la rue principale, rejoint l'avenue Charles-de-Gaulle, roule quatre cents mètres et tourne à droite dans la Sixième avenue. Après plusieurs changements de direction, elle rejoint la Neuvième avenue. Elle prépare son bip pour ouvrir le portail, le gyrophare clignote, elle pénètre dans l'allée et se gare devant la porte de sa maison. Elle coupe le contact et désactive l'alarme, un signal sonore d'une sirène fixée au-dessus de la porte d'entrée retentit. Gaby se libère de la ceinture de sécurité et sort de l'Audi, il récupère son sac dans le coffre et rejoint Leïla qui est en train d'ouvrir la porte, tout est silencieux autour de la petite maison bourgeoise. Ils pénètrent dans l'entrée, elle allume la lumière et se dirige vers la pièce principale. Leïla se jette sur le canapé et soupire un grand coup, ses traits sont tirés, on aperçoit des cernes autour des yeux. Son regard est à la fois grave et perdu, elle regarde Gaby et le gratifie d'un léger sourire qu'il lui rend avec assurance, il se rapproche d'elle et lui dépose un baiser sur le front.

— Ne t'inquiète pas, ça va aller !

Leïla acquiesce, et lui dit qu'elle va devoir appeler Sofiane. Elle attrape son téléphone portable, ignorant encore comment présenter les choses à son frère…

Pendant ce temps, Gaby allume l'ordinateur et va sur internet à la recherche de renseignements sur les phénomènes walk-ins en attendant de voir Eva à la vente des œuvres de Pasqua, qui aura lieu le lendemain.

— Allo Sofiane ?

— Salut, petite sœur, comment vas-tu ?

— Bien, mais j'ai besoin que tu passes me voir !

— OK, pas de soucis, je viens te voir demain vers dix-sept heures !

— Non, j'ai besoin de te voir ce soir, c'est important !

— Putain, c'est chaud pour ce soir !

— S'il te plaît, fais un effort, frérot !

— OK, j'ai un convoi de prévu ce soir à 20 h pour Roissy, je dois emmener TP au terminal 2, je le dépose en zone sécurisée, et je viens te voir. Je serai là vers 21 h, c'est OK pour toi ?

— Cool, tu es le meilleur.

— Leï ? demande Sofiane d'une voix grave, ça va ?

— Oui, mais tu dois être large d'esprit en venant, tu risques d'être surpris, alors je compte sur toi pour ouvrir tes chakras.

— J'sais pas ce que tu as à me dire, mais tu es chelou, bises.

Sofiane raccroche, Leïla se rassoit, l'air inquiet de présenter cette femme comme étant son pote décédé et enterré depuis deux jours.

Elle rejoint Gaby près de l'ordinateur, il surfe sur les sites de transferts de l'âme, la métempsycose de l'âme en nom scientifique. Il commence à regarder les commentaires. Il retrouve souvent des récits et témoignages de personnes, dont la personnalité a changé d'un coup, ils n'écoutent plus les mêmes musiques, n'ont plus les mêmes goûts culinaires, attitudes brutalement modifiées, etc. Pas de récits sur des êtres dont toute la mémoire est intacte, mais dans une autre enveloppe humaine. Il tombe également sur des sites de sectes et autre documentation de vaudou et sorcellerie.

Il décide de taper le nom d'Eva en associant sa thèse de doctorat dans la barre de recherche. Il découvre qu'elle a effectué son doctorat à l'université de Cambridge, les résultats de ses travaux sont plutôt respectables, elle est mentionnée comme une étudiante référente dans le domaine de la métempsycose. Il décide de stopper là concernant Eva et lance sur le moteur de recherche les mots « meurtre, Paris, commandant Servat ». L'article d'un journal *L'Actu du Juriste* apparaît à l'écran :

« Crime mystérieux dans le 7e arrondissement, une jeune femme russe a été assassinée, sa tête a été tranchée et déposée dans un récipient. La police n'a toujours aucun indice sur l'origine du crime, ni le motif, ni l'auteur. Le commandant Servat chargé de l'enquête a déclaré avoir plusieurs informations concernant l'arme du crime, un sabre d'origine orientale. C'est le juge Delerme qui est chargé de l'instruction, elle doit assurer une conférence de presse dans les prochains jours. »

Gaby recherche maintenant « Femme disparue » la page s'ouvre sur un site du gouvernement PERSONNES DISPARUES, il entre les données dans la barre de recherche du site :

Sexe : Féminin

Âge : 30

Taille : 175 cm

Couleur cheveux : Brun

Couleurs des yeux : Vert

Poids : 65 kg

Signes distinctifs : Néant.

Gaby valide et attend quelques secondes, une série de trente photos apparaît, avec quelques éléments, la date de la disparition, le lieu, il les fait défiler une à une, mais aucune ne correspond à la femme qu'il est aujourd'hui.

Il se regarde dans le miroir accroché au mur, et voit cette femme inconnue encore en survêtement. Il se sent sale, il rêve d'un bain, il regarde Leïla et lui dit qu'il va utiliser sa salle de bains. Il se dirige vers le premier étage et rejoint la chambre d'amis qu'il a l'habitude d'occuper quand il vient chez Leï. Elle l'observe évoluer dans son environnement qu'il connaît par cœur. Pour elle, la situation est également troublante de voir cette femme se déplacer avec tant d'aisance chez elle. Il n'y a plus de doutes pour Leïla, c'est Gaby qui occupe ce corps.

Gaby entre dans la salle de bains, chaque fois qu'il doit se déshabiller, il est mal à l'aise, voire gêné, timide et pudique. Ce n'est pas si évident de se retrouver avec une paire de seins et un vagin, pourtant, quand il touche ce corps, il ressent la douceur de ses mains fines et délicates.

Il se met nu et se place sous la douche, l'eau chaude qui coule du pommeau a comme un air de réconfort, comme les bras de sa mère qui l'enveloppait d'amour pendant son enfance. Il repense à sa maman, que ferait-elle face à cette femme, comment agirait-elle devant cette situation si rocambolesque ? L'eau chaude provoque un épais brouillard dans la pièce, il entend la porte s'ouvrir et aperçoit la silhouette de Leïla, elle a dans les bras des fringues pour Gaby. Elle passe devant la douche, marque une pause et l'observe.

— Putain, COMMENT T'ES BONNE, dit Leï avec son accent racaille.

Gaby positionne immédiatement ses mains sur ses parties génitales, Leï éclate de rire, et lui dit :

— Écoute ma belle, désormais tu dois également te cacher les roberts, regarde comme ça.

Leïla simule le geste en mettant sa main droite au niveau de son sexe et son bras gauche vient couvrir ses deux seins, elle dépose un jeans, un tee-shirt et une culotte sur le meuble-lavabo.

— Habille-toi, je vais préparer une bricole à manger.

Elle sort de la salle de bains, Gaby coupe l'eau, attrape une grande serviette, s'essuie et prend les vêtements déposés par Leï. Il regarde la culotte qu'elle a choisie, un petit bout de dentelle qui lui cache à peine le pubis et lui rentre dans les fesses. Il soupire et met le jeans, un Diesel avec des trous sur les genoux et sous les fesses. Il enfile le tee-shirt qui est en apparence normal dans la forme, sauf le flocage qui précise en gros et en paillettes or « J'aime les filles ».

Gaby sort de la salle de bains et redescend vers le salon, Leïla est dans la cuisine en train de préparer une casserole de pâtes, elle le regarde et lui sourit.

— Tu es très jolie comme ça !

— Tu n'aurais pas un boxer au lieu du string que tu m'as passé ?

Leïla fronce les yeux en remuant la tête.

— Tu vas devoir t'y faire ma poule, et demain on essaye les escarpins.

Elle éclate de rire, Gaby sourit également, que ferait-il sans elle, il l'observe, elle est toujours aussi belle, il l'aime au plus profond de lui, mais n'ose plus lui dire, il décide de mettre la table. C'est toujours sans aucune hésitation qu'il ouvre les placards et tiroirs pour prendre les assiettes et couverts. Il positionne les sets aux emplacements exacts, Leïla l'observe encore. Elle lui demande s'il veut une bière, il acquiesce et attrape deux bocks dans le placard au-dessus du frigo que Leïla est en train d'ouvrir pour prendre deux Westmalle, la bière belge préférée de Sofiane. Les deux jeunes femmes s'observent, et s'assoient à table, Leïla sert les pâtes et lui dépose du fromage râpé devant son assiette, Gaby fronce les yeux.

— Mais Leï, tu sais que je déteste le fromage.

— Oui, je sais, mais juste une petite vérification, répond penaude Leïla.

— Je ne t'en veux pas, tu as le droit, je suis encore désolé de t'embarquer dans ce merdier !

— Tout va bien, ne t'inquiète pas.

Leïla prend son téléphone et active sa playlist, l'enceinte se connecte en quelques secondes et *Immigrant Song* de Led Zeppelin démarre. Leïla remue la tête au rythme de la guitare de Jimmy Page, elle a des goûts musicaux très seventies. Elle ferme les yeux entre deux bouchées de pâtes, quand, elle sursaute en entendant un bruit grave venant de devant la maison. Elle se lève et se dirige vers la fenêtre, entrebâille les rideaux et jette un regard dehors, tout est sombre, mais elle reconnaît le SUV Mercedes classe G 63 AMG de son frère.

— C'est Sofiane, dit-elle à Gaby.

Gaby respire un grand coup par le nez.

— OK, je te laisse l'accueillir !

Elle se dirige vers la porte d'entrée et ouvre. Sofiane apparaît de la pénombre et enlace sa sœur.

— Ça va sœurette, tu tiens le coup ?

Il entre et aperçoit Gaby.

— Bonjour, je suis Sofiane, le frère de Leï, et vous ?

Gaby lance un regard à Leï et répond :

— Bonjour, Gaby, je m'appelle Gaby.

Sofiane balance un regard interrogateur à Leïla en répondant :

— Enchanté.

Gaby recule et déclare :

— Je vous laisse, je monte me reposer un peu.

Leïla et Sofiane se dirigent vers la cuisine, elle propose un café à son frère qui accepte.

— C'est qui, elle ? Et c'est normal qu'elle s'appelle Gaby ? T'es folle ou quoi, tu fais une fixette, Gaby est mort et on doit faire avec, ce n'est pas en ramenant une gonzesse qui s'appelle pareil que tu vas le faire revenir !

Sofiane a l'air très contrarié par sa rencontre avec la jeune femme.

— Écoute Sofiane, tu dois attentivement m'écouter, car ce que j'ai à te dire n'est pas facile à croire. Tu dois sortir de tes sentiers d'homme cartésien. Ce que je vais te dire n'est pas rationnel, mais il faut me faire confiance et ouvrir ton esprit au-delà de ce que tu as rencontré jusqu'à présent. La jeune femme que tu as vu là n'est autre que Gabriel ! Oui, notre ami Gaby. J'ai eu du mal à l'accepter, mais des faits m'ont prouvé le contraire. J'ai dû me rendre à l'évidence, c'est bel et bien Gaby qui est aujourd'hui dans ce corps de femme.

Leïla et Sofiane restent enfermés, pendant plus d'une heure dans la cuisine. Gaby les entend discuter, mais il ignore comment son pote va réagir. Sofiane peut très vite devenir imprévisible et dans sa démarche de protection fraternelle, il peut être agressif s'il pense que sa petite sœur est victime d'une manipulation aux sentiments. La porte de la cuisine s'ouvre et Leïla appelle Gaby, il descend avec cette appréhension de ne pas être cru. Quand il les rejoint, Sofiane le fixe fermement et lui dit :

— OK, sauf si ma sœur est folle, ce qui n'est pas le cas, tu serais donc Gaby ? C'est très dur à croire vos histoires de transfert d'un corps à un autre. Moi je ne suis pas Leï, même si vous saviez ouvrir le coffre caché de Gaby, même si vous connaissez cette maison aussi bien que lui et toutes les choses que Leï a pu me dire. Je reste sur la défensive, je ne vous fais pas confiance, mais par curiosité, j'aimerais quand même que vous me disiez un truc, n'importe lequel, mais un truc secret entre moi et mon pote, je vous écoute !

Sofiane se positionne dos au mur et croise les bras tout en fronçant les yeux et en inclinant la tête vers le bas.

— Je connais la fonction de la touche dièse sur les digicodes de démarrage de tes voitures. Je connais ta nouvelle passion pour le tir de précision à l'arbalète, la dernière fois que nous avons déjeuné ensemble, tu as pris des gnocchis dans la meule de parmesan. La dernière fois que je t'ai appelé, c'était une heure avant l'accident, tu m'as insulté pour l'horaire, trop tôt. Tu cherchais une grosse cylindrée blindée pour ta nouvelle clientèle russe, j'étais sur une S600. Le coffre-fort chez moi, tu me l'as installé il y a trois ans, au mois de mai. Tu as déposé l'arme qui est ici, tu m'as dit mot pour mot « Avec ça ma couille, pas besoin de savoir tirer, tu vises dans la direction et tu appuies. » Tu envisages une vasectomie parce que ta femme ne peut plus prendre de contraceptifs. Je peux te parler pendant des heures sur toi et ta famille, mais surtout…

Gaby s'approche de l'oreille de Sofiane et lui chuchote une phrase. Leïla sourit et demande alors :

— C'est quoi cette histoire de touche dièse sur le digicode ?

Sofiane reste immobile face à l'assurance de cette femme et doit se rendre à l'évidence. Elle détient des informations que seul Gaby était censé connaître. Il va dans la cuisine, ouvre le frigo et prend une bière. Il essaye de rester humble pour ne pas laisser transparaître son trouble. Leïla le connaît et sait très bien que son grand frère est secoué par la situation et, qu'il a envie d'y croire. Son pote n'est pas mort et qu'il est en face de lui, bien vivant, en chair et en os, même si ce sont ceux d'une inconnue, Sofiane revient sa bière à la main.

— OK, je n'ai rien à perdre, je vais vous aider. Toi, dit-il en s'adressant à Gaby, as-tu une idée de qui pourrait en vouloir à Gaby ? Enfin à toi !

— Non, je viens juste d'apprendre que mon « décès » n'était pas accidentel, et qu'ils recherchent un grand type avec une drôle de démarche. Or ce type, je l'ai aperçu, la veille de l'accident. Nous avons les coordonnées du flic qui s'occupe du dossier, il est prévu de lui passer un coup de fil demain et tenter d'avoir des infos.

— OK, mais faites gaffe, on ne sait rien de ce gars, je vais quand même voir avec mon réseau, s'il y a des fuites à ce sujet, je le saurai. Tu gardes avec toi jour et nuit le téléphone que tu as récupéré dans le coffre. Leï, tu évites d'utiliser le tien, je t'en donnerai un. Demain vous passerez à l'agence, tu déposeras ta caisse et je t'en filerai une autre. On se balance un SMS toutes les quatre heures pour se tenir au jus, RAS s'il n'y a rien à dire, et URT, pour urgences, là on se contacte, explique Sofiane, qui avait gardé de vieux réflexes de son époque de trafiquant de drogue.

Il regarde une dernière fois Gaby dans les yeux, il reste troublé par le regard de cette femme. Il a un sixième sens qu'il a développé en prison et lit très facilement dans un regard s'il peut faire confiance ou pas à la personne. Et là, c'est évident, il doit lui faire confiance, il connaît ce regard. Il remet sa veste et quitte la maison, remonte dans son SUV, met le contact et disparaît dans la pénombre du quartier résidentiel.

Leïla regarde Gaby et lui dit qu'il est temps d'aller se reposer, Gaby s'approche d'elle et lui dépose un baiser sur la bouche.

— OK, tu as raison, allons dormir, demain la journée sera longue et, quelles surprises nous attendent…

Leïla acquiesce et disparaît dans sa chambre.

20
Informations croisées

Face à la situation d'arrêt total de l'enquête, Rudy décide de faire un point et convoque toute l'équipe dans une des salles de réunion du onzième étage. Loin des anciens locaux du 36 quai des Orfèvres, ils travaillent désormais sur d'énormes tableaux numériques, finis les vieux tableaux magnétiques sur lesquels ils appliquaient les photos et autres documents avec des aimants de couleurs. Désormais, ils ont à leur disposition de grandes salles i-tech, avec vidéoprojecteurs, prises RJ45 directement sur la table. Les jeunes ne viennent plus avec des calepins, mais des ordinateurs portables. On fait des « conf call », on se connecte sur Teams ou sur Zoom, mais Rudy, lui, impose la présence physique de ses collaborateurs quand il veut faire un point sur un dossier. Il a donc réservé pour cette réunion la salle Brossard 10 h 15 à 12 h. Il arrive le premier, il pose son PC et le connecte à la prise HDMI qui permet la diffusion sur l'écran accroché au mur.

Les cloisons qui séparent la salle du couloir sont vitrées, pour plus de confidentialité, il suffit d'appuyer sur un interrupteur, et par magie, les vitres deviennent opaques. Il ne comprend toujours pas comment ça marche, mais c'est la technologie, et, cette fois elle fait défaut, car il a beau appuyer, ça ne fonctionne pas. Grrrrr, se dit Rudy, c'était mieux les bons rideaux, à ce moment Laura apparaît avec Djibril, elle est encore un peu fébrile, mais elle a tenu à reprendre le boulot. Paul, Hakim et Fred arrivent, il ne manque plus que Manu, qui pointe son nez quelques minutes plus tard. Une fois son staff au complet, il commence à diffuser sur l'écran en forme de patchwork les éléments du dossier. En plus gros, les images des caméras vidéo montrant la jeune femme brune au nom présumé de « Victoria » et celle de la silhouette de l'homme girafe aux prothèses de jambes. Un silence lourd envahit la pièce.

— Manu, tu as pu récupérer quelque chose dans l'appartement de porte de la Chapelle ?

— Que dalle, tout était nettoyé une vraie fée du logis ce tueur, pas un poil, ni même une crotte de nez, RIEN !

— Et chez Bréand ?

— Rien non plus, tout a été fouillé, PC et téléphones disparus, encore une fois pas de trace du tueur, on a vraiment à faire à un fantôme !

— Laura ? Pour Savato, l'associé de Louis XVI ?

— Il est sous protection, il est complètement en flippe, c'était le petit chien de Bréand, il est perdu sans son maître !

Laura clôture sa phrase par ouaff ouaff ! ce qui fait sourire l'assemblée.

— Personne ne peut apporter d'autres éléments ?

Seul Djibril a avancé sur les informations supplémentaires sur structure officielle du First Lady.

— C'est une femme du nom Kristen Vandereden, qui a créé le concept de cette agence de rencontres pour les milieux aisés. C'est une vraie arlésienne, tout le monde la connaît, mais on ne la voit jamais. J'ai fouillé, mais rien de bien intéressant, ça a l'air clean.

— Tu as regardé si Declerc avait un lien avec cette agence ?

— Oui patron, répond Djibril, aucune trace de transactions sur ses comptes. S'il était adhérent, il devait utiliser un autre moyen de paiement, et son portable a été complètement détruit lors de l'accident, je ne peux rien en tirer.

— OK, mais tu restes toujours prudent quand tu cherches dans cette direction, je te rappelle qu'il est interdit de fouiller sur cette agence.

— Pour les caméras de surveillance de porte de la Chapelle, tu as pu retrouver des traces de l'homme girafe ?

— Patron ! reprend Djibril, c'est le premier point de deal de la capitale, il n'y a plus une seule caméra en état de fonctionnement.

— Oui, effectivement !

Djibril déconnecte son PC du câble HDMI et libère l'écran qui revient au patchwork précédent. Rudy aperçoit un jeune officier de police, badge autour du cou scotché derrière la vitre, il a le regard fixé sur l'écran. Rudy l'observe, mais l'homme ne réagit pas, il décide de sortir de la salle et d'aller le voir pour lui demander ce qu'il a.

— Bonjour, dit Rudy, il y a un problème, je peux vous aider ?

— Oui, c'est l'inconnue du parc Monceau que je vois sur l'écran !

— Pardon ? demande Rudy, vous êtes ?

— Lieutenant Zaoui, Karim Zaoui, je suis ici pour un rendez-vous avec la RH, mais j'ai aperçu votre écran en passant et, la fille là, affichée, c'est l'inconnue du parc Monceau !

— Vous la connaissez ?

— Oui !

— OK, venez avec moi, j'ai besoin de vous !

— Mais j'ai rendez-vous avec la RH !

— Rien à foutre, répond Rudy, vous venez avec moi dans cette salle de réunion.

Face à l'autorité du commandant, Karim s'exécute et entre dans la salle de réunion, Rudy lui présente l'équipe et lui demande comment il connaît cette femme nommée Victoria.

Karim les débriefe sur le dossier de l'inconnue du parc Monceau, mais conteste le prénom de Victoria écrit sous la photo.

— Elle prétend s'appeler Gabrielle.

— Vous savez où elle se trouve aujourd'hui ?

— Non, elle a disparu, elle est partie de l'hôpital Ambroise-Paré, mais cette nana a un pète au casque, elle prétend être un homme !

— Comment ça un homme ? demande Rudy.

— Oui, un homme ! Mais comme je vous l'ai dit, elle a un pète au casque.

— Elle vous a dit son nom ?

— Oui, Gabrielle Declerc.

Rudy et Laura se regardent, le lien entre Natalia et le vendeur de voitures est la femme brune !

— OK, donnez-moi la date exacte de son malaise, l'heure, le lieu, qui l'a transféré, le nom du toubib qui l'a examiné. Je veux tout savoir, Djibril, toi tu te mets sur les caméras de vidéosurveillance du parc Monceau et tu remontes le visionnage, même si tu dois y passer la nuit. Laura, tu vas voir tous les proches de Declerc, l'un d'eux connaît peut-être cette femme. Paul et Hakim, vous retournez chez lui et vous fouillez à fond l'appartement. Manu tu vas avec eux et tu recherches le lien entre cette nana et Declerc, dans les siphons des lavabos, dans les chiottes, où tu veux, mais trouve-moi un lien. Je veux tout le monde sur le coup pour retrouver cette gonzesse, elle est la clé, j'en suis sûr !

— Moi je vais à Ambroise-Paré ! dit Rudy avant de se jeter dans sa chaise.

Il soupire et ferme les yeux, il bénit cette technologie qui merde si souvent, car si les vitres de la cloison étaient devenues opaques, jamais le Zaoui n'aurait vu la photo.

21
Storage

Gaby et Leïla arrivent à Clichy-la-Garenne, dans les bureaux de Drivers & Protec. Sofiane a installé son entreprise dans des locaux industriels proches du supermarché Leclerc. Il occupe le rez-de-chaussée pour la partie bureaux et le premier sous-sol pour les voitures. Sofiane les accueille et les dirige directement vers le parking, il désigne à sa sœur un emplacement pour garer sa voiture, puis les invite à le suivre dans les bureaux.

— OK, dit Sofiane, j'ai eu un retour de mes informateurs, les flics recherchent un grand boiteux et une femme brune, cheveux longs, ils ont une capture de vidéosurveillance. C'est toi sur la photo, précise Sofiane en regardant Gaby.

Sofiane a du mal à l'appeler par son prénom.

— Leï, je crois que tu vas lui présenter rapidement ta coiffeuse, coupe et couleur, dès que c'est fait, tu m'envoies une photo, pour lui faire une carte d'identité. Voici les papiers de la Classe A que vous allez prendre. Elle ne paye pas de mine, mais elle est équipée d'un moteur AMG de cinq cents chevaux. C'est celle que j'utilise pour semer les paparazzis quand je transporte des personnalités comme Mbappé. Le code antivol est 2436 #, il y a le plein, elle est équipée de plaques numériques, on peut changer l'immatriculation depuis l'écran central, c'est très simple, la pré liste est prête, il suffit de sélectionner les musiques.

Idem pour la peinture, c'est une nouvelle technologie électrophorétique, elle change de couleur, garez-vous dans les parkings souterrains pour changer discrètement de couleur. Une voiture noire qui entre et une blanche qui sort, c'est très efficace.

Gaby reste admiratif devant son pote qui n'aura jamais fini de le surprendre.

— OK frérot, répond Leïla.

Elle s'empare des clés et les deux femmes se dirigent vers le sous-sol suivi de Sofiane. Une fois les dernières consignes de consigne passées, comme Q dans James Bond, Leïla démarre le bolide bourré de technologie. Elle prend la direction de Saint-Ouen-l'Aumône, l'adresse de la galerie d'art Storage, indiquée sur l'invitation d'Eva pour la vente privée des œuvres de Pasqua. Gaby attend beaucoup des réponses que peut lui apporter Eva. Leïla s'engage sur l'autoroute A15 direction Cergy-Pontoise, le GPS annonce vingt-huit minutes pour atteindre leur destination. Gaby regarde l'heure, il est 14 h 10, la vente commence à 16 h, ce qui va lui laisser le temps de discuter avec Eva avant qu'elle couvre l'évènement avec sa chaîne de télévision. À Saint-Ouen-l'Aumône, le GPS indique la sortie vers la zone industrielle du Vert Galant et les dirige dans les dédales de rues pleines de camions en stationnement, au milieu des usines et des entrepôts. Gaby a du mal à imaginer une vente d'œuvres dans un cadre aussi lugubre que cette zone d'activités. Leïla tourne à droite, puis à gauche, et encore à gauche puis à droite quand le GPS annonce : « Vous avez atteint votre destination ». Gaby et Leïla se regardent, il revérifie l'adresse sur l'invitation, les deux femmes se trouvent bien à celle qui est indiquée. Tout à coup, l'énorme portail en fer de l'entreprise devant eux s'ouvre, et une voiture de luxe en sort. Leïla décide de rentrer et s'engage dans le parking, elle avance lentement, fait le tour du bâtiment et aperçoit au fond du complexe des dizaines de Porsche, Mercedes,

Audi et autres marques haut de gamme. Aucun doute, dit-elle, on est arrivées. Gaby remarque le véhicule technique de la chaîne de télévision d'Eva, il est rassuré, elle est ici, comme prévu. Leïla se gare et les deux femmes sortent de la voiture et se dirigent vers la porte d'entrée. À leur grande surprise, elles traversent un jardin avec un grand bassin, au bord duquel trônent des œuvres de l'artiste. La statue *Face Off*, une vanité aux papillons de trois mètres de haut ou encore des oliviers en bronze. Elles arrivent dans un grand hall avec une pancarte affichant « Bienvenue à Storage ». Une hôtesse les accueille et leur demande avec beaucoup de délicatesse leur invitation. Leïla ne peut s'empêcher de mettre un coup de coude à Gaby et de lui dire à voix basse qu'elle lui « mangerait bien le minou ». Il lui fait les gros yeux et lui répond que ce n'est pas le moment. Leïla lui fait un clin d'œil et se positionne légèrement en retrait le temps que Gaby lui présente l'invitation. L'hôtesse les remercie avec un large sourire et leur présente un livret comme un programme de spectacle, Gaby le saisit et salue l'hôtesse qui leur indique la direction.

Gaby, et Leïla arrivent dans une sorte de grand entrepôt, où une centaine de personnes sont en train de discuter, une coupe de champagne à la main devant des toiles pouvant atteindre quatre mètres de haut avec de gros coups de pinceau de couleurs sombres ou vives, selon la période où elles ont été peintes, représentant des portraits de femmes, d'enfants, de trisomiques ou de transsexuels. Gaby aperçoit au fond du hall *La Cène* l'œuvre qu'il a réalisée en remplaçant les apôtres par une sorte de petits êtres, un tiers humain, un tiers elfe et un tiers primate. Gaby ne sait plus où poser ses yeux, tout n'est qu'émerveillement, mais il doit redescendre sur terre et trouver Eva, c'est le but de leur visite. Soudainement, il reconnaît la voix d'Eva derrière lui. Il se retourne et l'aperçoit à deux mètres à peine. Une coupe de champagne à la main, elle est en train de débattre sur l'actualité de l'art avec un homme très efféminé au look incohérent et plein de manières. Gaby la regarde fixement, sans se rendre compte que son comportement peut être gênant pour Eva, elle croise son regard lourd en le fixant puis elle fronce les yeux et avec un petit sourire de courtoisie lui dit :

— Bonjour, nous nous connaissons ?

— Oui, lui répond Gaby spontanément, mais, je peux vous voir quelques minutes, seule ?

Eva semble gênée par cette demande, mais reste intriguée par cette jolie femme au regard vert.

— Oui bien sûr, répond Eva en s'excusant auprès de l'homme hybride. Venez avec moi.

Elle se dirige vers une autre salle où sont disposés des chaises et un pupitre, sûrement la salle qui va servir pour la vente de seize heures.

— Je vous écoute, que puis-je pour vous ?

— Je suis vraiment désolé de vous déranger, mais je souhaite vous parler de « walk-ins ».

Eva fronce les yeux et prend un air surpris.

— Oui, effectivement, c'est un sujet auquel je me suis intéressée à un moment de ma vie, mais pourquoi moi, et pourquoi aujourd'hui ?

— Tout à l'heure, je vous ai répondu que l'on se connaissait, c'est vrai et pourtant vous ne vous souvenez pas de moi ?

— Absolument, répond Eva.

Gaby prend une grande respiration.

— C'est parce que je n'étais pas dans le même corps !

— Pardon ? s'exclame Eva en prenant une certaine distance de retenue et en reculant d'un pas.

— Suite à un accident, je me suis réveillé dans un autre corps.

Eva fronce les yeux et regarde la femme.

— OK, donc ? Pourquoi moi ?

— Parce que vous avez fait votre thèse sur ce sujet, et que l'on s'est rencontré avant mon transfert !

À ce moment, Leïla entre dans la pièce en beuglant « Putain je te cherchais partout ». Eva et Gaby la regardent avec stupéfaction.

— Bonjour, vous êtes ? demande Eva avec surprise.

— Sa meuf ! répond Leïla, mais ne vous gênez pas continuez !

— Désolé, dit Gaby, je vous présente Leïla.

— Enchantée, répond Eva, je suis désolée, mais je ne me souviens pas du tout de vous, j'ai peur de ne pouvoir vous aider.

— Si ! répond Gaby, vous êtes une experte dans le transfert de l'âme humaine. Vous avez écrit une thèse sur la continuité de la personnalité de l'homme, à travers les âges par le transfert de corps à corps !

— Oui effectivement, j'ai fait ma thèse sur ce sujet et il m'intéresse, mais de là à vous croire, il y a de la distance !

— Très bien, répond Gaby, vous êtes F624, je suis H1166, nous nous sommes rencontrés chez vous au 32 ter avenue de Suffren, il y a trois semaines, je suis Gabriel !

— Un peu facile comme approche ! dit Eva avec agacement.

— Vous êtes venue me donner cette invitation le lendemain de notre rencontre dans ma concession du 16e. Vous êtes une des premières personnes à avoir cru en Pasqua. C'est votre mari qui vous a inscrit sur First Lady, et vous avez un grain de beauté en forme de l'île Corse !

— À quel endroit ?

— Sur la lèvre !

Eva ne cache plus sa surprise.

— Elle n'a pas de grain de beauté sur sa lèvre ! dit Leïla.

— Je ne parle pas de cette lèvre-là, répond Gaby doucement.

— Ah ouais, donc, quand tu dis que tu connais quelqu'un, c'est que tu es déjà descendu à la cave ! réplique Leïla en posant ses mains sur ses hanches.

— S'il vous plaît ? reprend Eva, je vous demande de partir maintenant, ce n'est pas un cirque ici, alors soyez raisonnables et allez-vous-en !

— Pardonnez-moi d'insister, j'ai vraiment besoin de vous. Je suis moi-même perdu, et vous êtes la seule personne que je connaisse qui peut m'apporter des réponses à la situation que je vis aujourd'hui. Je vous en prie, aidez-moi. Vous avez écrit une thèse sur ce sujet, croyez-moi juste un peu, je suis réellement Gabriel, l'homme avec qui vous avez couché. J'ai eu un accident et je me suis réveillé dans ce corps que je ne connais pas, ce n'est pas une blague, j'ai réellement besoin de votre expertise !

Eva semble touchée par la délibération de son interlocutrice.

— Je ne suis pas une experte sur le transfert, j'ai fait ma thèse sur ce sujet. Je trouvais intéressant de justifier les changements de comportements soudains des personnes par une intrusion de personnalité externe. Et puis, j'étais amoureuse de mon professeur à l'université de Cambridge. Il me fascinait avec ses théories sur le transfert de l'âme et le côté éternel de l'être humain, un esprit et des centaines de corps à travers les temps. C'était magique de pouvoir accéder à une telle puissance de l'immortalité, mais j'ai complètement déconnecté de cet univers, je vous invite à rencontrer plutôt un spécialiste en la matière, mais dites-moi, où est Gabriel ?

— Gabriel est mort ! Enfin, son corps, mais pas moi !

— Oh, c'est pour ça qu'il ne répond pas à mes invitations ! soupire Eva qui s'assied sur une chaise derrière elle.

— Ah, tu en redemandes ! dit Leïla.

Eva la regarde avec mépris.

— OK, dit-elle en prenant un bout de papier et un stylo, elle note quelque chose dessus, puis le tend à Gaby.

— C'est l'adresse du professeur Ernest Ryan. Il vit en Irlande, c'est un spécialiste dans le domaine des esprits, de l'âme et tout ce qui touche au druidisme. Je vous conseille d'aller le voir, si vous cherchez des réponses, une seule personne pourra y répondre, c'est lui. Maintenant je dois vous laisser, la vente va bientôt commencer et je dois rejoindre mon équipe de tournage.

Eva prend la direction du hall, elle se stabilise et fait demi-tour, se dirige vers Gaby et vient lui chuchoter à l'oreille :

— Je crois que j'ai bien fait d'en profiter l'autre soir !

Elle le regarde, sourit et disparaît dans la foule de plus en plus dense. Gaby jette un regard sur Leïla qui fait la gueule.

— Putain, tu aurais pu me dire qu'on venait voir une de tes pouffes !

— Arrête de faire ta jalouse !

Gaby regarde le papier et se dirige vers la sortie, suivi de Leïla toujours en train de grogner à cause de cette rencontre avec la femme au grain de beauté.

— Que fait-on maintenant ? demande Gaby.

— Je dois passer vite fait au bureau pour laisser des consignes à mon collaborateur et prévenir que je vais m'absenter quelque temps.

— Je souhaiterais passer à la concession, tu peux m'y accompagner ?

— Oui, bien sûr, mais reste discret !

— OK, sur la route je voudrais que tu passes un coup de fil à tonton Will, j'aimerais entendre sa voix.

— Tu es sûr de ne pas rester un peu en retrait, le temps que les choses se stabilisent ?

— Non, j'ai besoin d'exister, je dois maintenir l'homme que je suis à la surface, et pour ce faire, je ne dois pas m'éloigner de mon passé.

— Gaby, dit Leïla avec tendresse, tu existes pour moi, ça ne change rien, je t'aime !

— Merci, Leï, heureusement que tu es là, je sais que je te mets dans une drôle de situation, et j'en suis désolé.

— No soucy, ma couille, tu peux compter sur moi.

Gaby s'installe dans la voiture en soupirant.

— On doit aller en Irlande, je dois rencontrer cet homme, Ernest Ryan !

— Le druide ?

— Oui.

— T'es sérieux, tu veux vraiment aller voir Panoramix ?

— Oui, je dois comprendre ce transfert, et savoir ce qui peut se passer par la suite, est-il évolutif, définitif, ou transitoire ?

— Putain, je n'avais pas pensé à ça, dit Leïla en baissant le ton.

Elle attrape son téléphone et cherche dans son répertoire.

— Tu fais quoi ? demande Gaby.

— Je prends rendez-vous, je t'emmène chez le coiffeur ! Il te faut des papiers !

— OK, au fait, est-il possible d'aller faire du shopping, je ne supporte plus ta culotte qui me rentre dans le cul et ce soutien-gorge, c'est infernal !

— Bienvenue dans le monde de la femme, et encore, tu n'as pas tout vu.

Leïla sourit et met le contact de la Mercedes, elle prend la direction de Paris la Défense, et compose le numéro de tonton Will, au bout de trois sonneries il répond.

— Allo ?

La voix est triste et timide.

— Bonjour, Tonton, c'est Leïla, comment vas-tu ?

— C'est dur tu sais, Gaby était comme mon fils, j'ai encore du mal à croire qu'il soit mort, le vide est énorme, il me manque énormément. Et toi, ça va ?

— Oui Tonton, ça va, je fais avec, pas le choix !

— Tu passeras me voir bientôt ?

C'est comme si oncle William avait pris trente ans d'un seul coup. Gaby a du mal à le reconnaître, lui le guerrier, le militaire, le grand aventurier de son enfance. Il se souvient alors des dernières paroles qu'ils se sont échangées, et Tonton qui lui a dit qu'il devait absolument lui parler dès son retour, mais que devait-il lui dire ? Gaby se fait alors une promesse, il ira le voir au retour d'Irlande, quand il aura rencontré Ryan et qu'il aura une explication sensée sur ce qui lui arrive. Il ne peut pas le laisser dans cet état, il va dépérir, c'est sûr ! Leïla raccroche et regarde Gaby d'un air compatissant.

— Ça va aller, il est fort, ne t'inquiète pas.

— Il comprendra, reprend Gaby, il est intelligent, je saurais lui expliquer, et il m'acceptera tel que je suis, j'en suis sûr !

— Moi aussi, j'en suis sûr !

Leïla décide de commencer par la concession. Gaby s'équipe d'un foulard et d'un masque chirurgical, très pratique de nos jours pour camoufler son visage sans susciter de soupçons. Stéphanie saute dans les bras de Leïla, heureuse de sa visite.

— Bonjour, Stéphanie, vous allez bien ?

— Oui, mais Gabriel nous manque tous. Monsieur William doit passer me voir pour me faire signer des procurations afin de pouvoir régler les factures des fournisseurs et un pouvoir pour les demandes de cartes grises auprès de la préfecture.

Leïla présente Gaby « Femme » comme une amie. Gaby est surpris par la prestance de Stéphanie au poste de responsable. Elle dirige les mécaniciens à la baguette, elle assure le bon fonctionnement de la boutique, il est fier de sa recrue, il a toujours su qu'il pouvait compter sur elle. Après quelques échanges, Leïla embrasse Stéphanie, et lui précise que si besoin, elle l'appelle, elle ou Sofiane. Stéphanie acquiesce et retourne à son poste. Gaby se sent un peu soulagé. Il prend désormais conscience que finalement, il n'était pas seul dans la vie, comme il le pensait. Il a un cercle de personnes de confiance, et il le comprend seulement aujourd'hui. L'être humain est ainsi fait, il faut que la vie le prive de ce qu'il a pour qu'il en mesure la valeur.

Leïla prend maintenant la direction de la Défense pour passer à son bureau. Gaby décide d'enlever le soutien-gorge, c'est avec difficulté et en se tortillant dans tous les sens qu'il arrive à le déboutonner, et maintenant il faut le sortir. Il a pensé un moment découvrir le secret des femmes, qui, avec, une seule main, décrochent l'attache, et le font sortir par la manche, mais en vain, un échec total. C'est avec de grands gestes, aucune élégance et des souffles de douleur qu'il se soulage de cet objet de torture sous le regard moqueur de Leïla qui éclate de rire.

— Je te ferai une formation.

22
La femme brune

Laura se gare devant la maison de William Fouquier, l'oncle de la victime Gabriel Declerc. Elle s'est renseignée sur cet homme, son parcours, ses années dans les forces spéciales, il a tout plaqué pour s'occuper de son neveu. Elle se dit que c'est quand même la poisse, les parents morts dans un accident d'avion, le fils tué pour une raison totalement inconnue. Elle sait pertinemment que l'homme qu'elle va voir ne lui dira que ce qu'il aura envie de lui dire, qu'elle n'aura pas le dessus sur lui et qu'aucune tentative d'intimidation ne fonctionnera. Elle s'approche du petit portillon métallique et sonne. On peut entendre le carillon depuis la rue, elle aperçoit le rideau de la fenêtre bouger légèrement. Elle l'imagine positionné derrière le mur, sur le flanc pour être moins vulnérable, la tête inclinée vers la vitre pour observer avec discrétion le visiteur non attendu. Laura prend les devants et montre sa carte de police, le rideau s'entrouvre et l'homme apparaît, il lui fait un signe de la tête pour l'informer qu'il arrive. William ouvre la porte d'entrée, descend les trois marches du perron et vient lui ouvrir le portillon.

— Bonjour, Monsieur Fouquier, je suis le lieutenant Bridault, je peux vous parler un instant ?

— Oui, je vous en prie, entrez !

— Désolée de vous déranger, précise Laura en entrant dans la petite maison en meulière des années 1920. Je souhaite vous parler de votre neveu.

— J'ai déjà été interrogé au sujet de Gabriel !

Laura repère immédiatement les photos accrochées au mur. On y voit William en uniforme avec des camarades, tenue de combat, visage noirci et fusil d'assaut en avant. Aucun doute, William n'est pas un tendre. Elle entre dans le salon et aperçoit un fusil FR-F2, un fusil de sniper de l'armée française dans les années 1990 en décoration sur le meuble.

— Ouah, un FR-F2, dit Laura avec émerveillement.

— Connaisseuse ? demande William avec surprise. Il est désarmé, précise-t-il.

Elle sourit, Laura sait pertinemment qu'un ancien des forces spéciales ne se désarme jamais et, qu'en quelques secondes, le fusil redevient opérationnel.

— Oui, c'est un FR-F2. Munition de 7,62. Masse de 5,100 kilos, 6, 250 chargés, longueur 1138 millimètres, canon 600 millimètres, coup par coup, répétition manuelle, portée maximale 3850 mètres, efficacité 600 mètres, vitesse initiale 820 mètres-secondes. Et dessus vous avez mis un viseur Scrome J8.

— Eh bien, vous me surprenez !

— J'ai fait du tir sportif, répond Laura.

— Et moi la guerre, vous voulez un café ?

— Non merci, je n'en ai pas pour longtemps, savez-vous si votre neveu faisait des rencontres via un site ou une agence ?

— Non, sa vie privée de me regardait pas !

Laura sort une photo de sa poche et la montre à William.

— Connaissez-vous cette femme ? La photo n'est pas nette, mais peut être que vous l'avez déjà croisée !

William prend la photo et la fait glisser jusqu'à lui.

— Effectivement, ce n'est pas net, mais non désolé. Mais qui est cette femme ?

— Justement, nous l'ignorons, nous savons qu'elle connaissait votre neveu.

— Elle s'appelle comment ?

— Nous l'ignorons.

— Je suis vraiment désolé, lieutenant, je ne vais pas pouvoir vous aider.

— Votre neveu vous a-t-il déjà parlé d'un homme de grande taille avec des prothèses, ce qui lui donne une allure de girafe ?

— Non, répond William avec un air étonné, c'est quoi cette histoire d'homme girafe, vous savez, si j'avais à ma connaissance des informations sur l'homme qui a tué mon neveu, je vous les communiquerais. Vous me plaisez lieutenant, vous auriez dû choisir l'armée plutôt que la police. Je suis sûr que vous auriez trouvé votre place au sein d'un bataillon, je vais vous montrer quelque chose.

William se lève et se dirige vers le meuble où est posé son fusil, il ouvre le tiroir et en sort un petit objet, il vient se rasseoir et pose sur la table une balle.

— Regardez-la bien, lieutenant, si vous ne trouvez pas ce tueur, vous retrouverez cette balle dans la tête de cet homme à l'institut médico-légal, je vous en fais la promesse !

Laura comprend qu'il est temps de partir, de toute façon, il ne dira rien.

— Très bien Monsieur Fouquier, merci quand même.

— De rien lieutenant, je vous raccompagne.

Laura le salue, sort de la maison, et se dirige vers sa voiture, elle sent le regard du militaire qui ne la quitte pas des yeux, elle en est convaincue, il cache quelque chose.

23
Changement de look

Leïla est restée environ une heure au bureau, le temps de passer les consignes aux personnes de son service, voir ses boss pour finaliser un contrat, et envoyer plusieurs mails. Pendant ce temps, Gaby est resté dans la voiture et à surfer sur Wikipédia afin de trouver le maximum d'informations sur le professeur Ryan.

Il est né à Dublin en 1958, il a fait ses études de psychologie et a obtenu sa licence. Il a monté son propre cabinet à l'âge de 28 ans et après plusieurs années d'exercice, il s'est spécialisé dans l'étude du comportement chez les adolescents et les enfants hyperactifs. Il a passé sa vie à chercher des réponses pour les cas qu'il traitait, notamment des changements de comportement si fréquents chez les ados et l'enfant. Pour quelles raisons un enfant tout à fait normal devient-il hyperactif, agressif, surdoué ou encore dépressif ? C'est lors d'un voyage aux États-Unis, en Californie où il décide de passer du temps dans une réserve indienne qu'il a fait la connaissance d'un sage. Ce dernier lui explique les rituels et pratiques ancestrales des Indiens d'Amérique, l'aspiration chamanique de la spiritualité indienne. Le rapport avec l'aigle, le loup, ou l'ours, l'esprit qui naît libre et meurt libre, le guerrier qui se libère avant la mort. Ce fut une révélation, et pour lui, ses jeunes patients ne souffrent pas de troubles, mais d'une intrusion. Dès lors il s'est spécialisé dans le domaine des walk-ins, à rechercher des cas bien précis sur des personnes considérées comme folles alors qu'elles avaient une vie normale auparavant. Et si la sénilité chez les personnes âgées était comme le guerrier indien, une libération de l'âme avant la mort du corps qui la transporte et l'emprisonne à tout jamais ? Ernest Ryan est devenu une référence dans son domaine, avec plusieurs livres étudiés en faculté. Il a fait des conférences partout dans le monde. Mais après tant d'années d'errance à vouloir transmettre son savoir et ses convictions, il décide de se retirer en Irlande, dans le comté de Kerry, l'ancienne terre des druides afin de vivre ses dogmes dans un écrin de verdure et d'eau.

Gaby est sorti de sa lecture par l'ouverture brutale de la porte de la voiture.

— Allez, ma couille, on se casse d'ici, on s'arrête chez Etam t'acheter des boxers féminins et des brassières. Ensuite, on file chez ma coiffeuse te faire une beauté, tu as pensé à envoyer un SMS à Sofiane ?

— Oui c'est fait.

Leïla sort du parking et prend l'autoroute A86 en direction de Saint-Denis pour rejoindre l'autoroute A1 en direction de Roissy. Après une escale au centre commercial d'Aéroville, elle se dirige vers Chantilly. Trente minutes plus tard, Leïla gare la voiture sur le petit parking du centre-ville de Lamorlaye.

— Allez, viens, je vais te présenter Charlotte !

Elles arrivent devant le salon de coiffure, Charlotte accueille Leïla avec un grand sourire.

— Bonjour, Madame Abassi, comment allez-vous ?

— Bonjour, merci de nous avoir calé un rendez-vous en urgence.

Le salon est tout en longueur avec un petit jardin au bout proposant une terrasse en bois et des bambous, rendant l'endroit zen. Un diffuseur de parfum absorbe l'odeur habituelle d'ammoniaque. Une musique continue sans publicité agressive est diffusée par une enceinte posée dans un coin. La décoration raffinée rappelant un ancien atelier, ce qui rend l'ambiance accueillante et agréable. Quelques clientes sont déjà entre les mains de deux autres coiffeuses. Gaby trouve l'endroit reposant et se sent bien, serait-il en train de se féminiser ?

Les postes de travail étant déjà tous occupés, Charlotte invite Leïla et Gaby à la suivre à l'étage. C'est là que se trouve la salle réservée aux mariées et aux personnalités de la ville, qui ne souhaitent pas être exposées à la vue de tous avec des morceaux de papiers alu sur la tête. Gaby découvre une pièce très lumineuse, haute de plafond avec un éclairage chaud. Il y a un grand miroir rétroéclairé et un grand fauteuil molletonné pour accueillir la star du jour. Il y a même un canapé et une table basse pour installer les copines qui accompagnent la future mariée. Il les imagine en train de boire une coupe de champagne tout en caquetant pendant que leur meilleure amie se fait coiffer afin d'être magnifique pour le plus beau jour de sa vie, enfin, en théorie !

— Je vois que votre couleur a bien tenu, dit Charlotte en saisissant une mèche de cheveux à Leïla.

— Ce n'est pas pour moi, dit Leïla, c'est pour mon amie. Gabrielle. Elle souhaite changer de tête, vous pouvez lui proposer quelque chose sans passer par la décapitation ?

Charlotte sourit, elle connaît l'humour décapant de sa cliente, et observe la texture des cheveux de Gaby.

— Si vous voulez un changement radical, je peux vous proposer un carré court, on peut également éclaircir la couleur.

Gaby se souvient de la remarque de Sofiane, « coupe et couleur » !

— Très bien dit Gaby, mais j'ai toujours rêvé d'être blonde, c'est possible ?

— Bien sûr, mais j'espère que vous n'êtes pas pressée, parce que vous êtes là pour deux heures !

— Pas de soucis, répond Leïla, je vous la laisse.

Elle regarde Gaby et lui précise qu'elle revient quand ce sera fini.

Gaby fait un signe de la tête et lui rend un large sourire.

— Elle est toute à vous !

Leïla redescend les escaliers et sort du salon pour rejoindre la voiture sur le parking, elle décide de rentrer chez elle se reposer un peu, le temps de la transformation de Gaby. En s'engageant dans la Neuvième avenue, elle repère immédiatement une Peugeot 308 garée devant son domicile. Elle ralentit et essaye de voir à l'intérieur, mais les vitres teintées l'en empêchent. Elle attrape son trousseau de clés et active l'ouverture du portail. Elle s'engage dans l'allée tout en regardant dans son rétroviseur, et elle aperçoit la porte de la voiture s'ouvrir. Ce n'est pas une coïncidence, la personne est là pour elle, elle stoppe la Mercedes devant sa porte, glisse sa main dans son sac et attrape sa bombe de gaz défense. Elle regarde dans la direction de l'intrus, mais la lueur de soleil bas l'empêche de discerner correctement le visiteur. Elle décide d'avancer dans sa direction et aperçoit enfin la silhouette d'une petite femme rousse en jeans et blouson. C'est la fliquette qui l'avait déjà interrogée après la mort de Gaby, elle réalise la chance de l'avoir déposé au salon de coiffure et d'arriver seule chez elle !

— Bonjour, Madame Abassi, je peux vous parler quelques instants ?

— Bonjour lieutenant, d'accord, mais je dispose de très peu de temps, je dois repartir rapidement !

— Je n'en ai pas pour longtemps, on peut entrer ?

— Oui, bien sûr, je vous en prie, entrez !

Les deux femmes pénètrent dans la maison, Leïla l'invite à la suivre dans la cuisine et propose une collation à Laura qui refuse avec politesse, elle sort une photo de sa poche et la montre à Leïla.

— Connaissez-vous cette femme ?

Leïla prend la photo en affichant un air sérieux et intéressé, elle fronce les yeux, soupire et redonne la photo.

— Vraiment désolée, je ne connais pas cette femme.

— Vous êtes sûr, regardez bien ! demande Laura d'un air agacé.

— Je suis vraiment désolée, j'ignore qui elle est, mais quel rapport y a-t-il entre Gaby et cette femme ?

— Nous l'ignorons, nous sommes à sa recherche, elle prétend s'appeler Declerc, comme votre ami. Elle était également en relation avec une autre victime de l'assassin présumé de monsieur Declerc. Elle s'appelait Natalia Ivanenko, si vous avez des informations c'est très important, nous avons un tueur dans la nature et toutes informations seront les bienvenues.

Leïla montre un signe d'inquiétude que Laura capte instantanément et en profite pour en tirer profit.

— Croyez-moi Madame Abassi, ce tueur ne rigole pas, c'est un vrai professionnel. Nous le soupçonnons d'être à la recherche de cette femme et si vous la protégez, il la trouvera, n'ayez aucun doute à ce sujet. Alors ça me contrarierait de vous ramasser à la petite cuillère !

— Je ne vous cache rien, répond Leïla d'un air assuré.

— Très bien Madame Abassi, je vous crois, mais soyez prudente, très prudente…

— Merci lieutenant, je vous promets que si j'ai des informations, je vous appelle sur-le-champ.

Laura sort de la maison et rejoint sa voiture, elle met le contact et disparaît dans l'avenue. Leïla est en pleine panique, elle verrouille la porte à clé. Elle décide de prévenir son frère de la visite de la police et surtout de l'informer de la présence d'un tueur qui serait à la recherche de Gaby femme. Elle regarde l'heure, décide de partir récupérer Gaby au salon de coiffure, elle fait très attention de ne pas être suivie par la femme flic. Quand elle arrive au salon de coiffure, Charlotte est en train de finir le brushing de Gaby. Leïla en est troublée, car si Gaby femme est méconnaissable, les cheveux courts et blonds, l'expression de son visage lui rappelle étrangement celle de Gaby homme.

— Ouah, incroyable, ça te change de ouf !

— Je me sens déjà plus à l'aise les cheveux courts !

— Super Charlotte, vous avez fait un super taf, comme d'habitude, combien je vous dois ?

Leïla paye la note, et elles sortent du salon, Leïla est stressée, Gaby le sent.

— Qu'est-ce qu'il y a ? demande Gaby.

— Les flics sont venus à la maison, ils te recherchent, et ils prétendent que le tueur est à tes trousses. Je ne suis pas rassurée !

— On rentre, tu me prends en photo, tu l'envoies à Sofiane, il me faut une carte d'identité en urgence, on réserve des billets d'avion pour l'Irlande et on va voir Ryan.

— Tu es sûre que c'est utile d'aller voir Panoramix ?

— Oui, fais-moi confiance, et puis, que faire d'autre, personne ne me croira si je vais voir la police.

— Mais tu n'as rien à te reprocher !

— Moi non, mais cette femme que je suis aujourd'hui, qui est-elle et pourquoi elle est recherchée ? Qu'est-ce que les flics t'ont dit d'autre ?

— La flic, c'est une femme qui est venue. Lieutenant Bridault. Elle m'a parlé de l'autre victime du tueur, Natalia Ivanenko, tu connais ?

Gaby se décompose.

— Putain, oui je la connais, j'ignorais qu'elle était morte. On se voyait via First Lady, elle m'envoyait régulièrement des invitations, je la soupçonne même de m'avoir recommandé à Eva !

— C'est quand même chelou ton agence de cul, tu avoueras que c'est comme une secte, ton bouclard !

— Je te l'accorde. Le rapport entre elle et moi est l'agence. Nous devons découvrir rapidement l'identité de ce corps que j'occupe, mais comment ? J'ai regardé les sites de personnes disparues, rien, aucune recherche ne correspond à ce que je suis, personne ne me recherche.

— OK, si tu penses que le gars en Irlande pourra t'aider, allons-y.

Arrivées chez Leïla, Gaby se positionne devant un mur blanc, Leïla prend plusieurs photos et les envoie à Sofiane, toujours en utilisant le téléphone prépayé que Gaby a récupéré dans son coffre. Leïla laisse un message : « Il nous faut une CNI en urgence, on doit partir demain en Irlande. »

Gaby est déjà sur l'ordinateur pour regarder les vols vers Cork, mais rien avant trois jours depuis Paris, le seul moyen est de passer par Amsterdam, où il y a des vols quotidiens, il regarde sur Waze, cinq heures et treize minutes de route pour atteindre l'aéroport international Schiphol.

— Leï, nous devons passer par Amsterdam, il y a un vol demain à 19 h 30, on doit partir de Paris vers midi, vois avec Sofiane pour qu'on récupère une carte d'identité demain matin !

— C'est déjà fait, on a rendez-vous avec lui à 10 heures au parking Océan de la gare Montparnasse.

— Top, j'adore ton frère !

— Et moi ? Je suis quoi ? dit Leïla agacée.

— Toi c'est différent, je t'aime !

— OK, ça va, je te pardonne !

Gaby se tourne vers Leïla et lui rend un large sourire, elle le regarde encore troublée par le visage de cette femme blonde aux cheveux courts dont les traits lui rappellent vraiment l'homme qu'elle aime.

24
Léna

— Allo, bonjour Papa !

— Bonjour, Léna, comment vas-tu ?

— Bien, je suis contente de t'entendre !

— Moi aussi ma chérie, quel temps fait-il à Chicago ?

— Pluvieux, si je ne me trompe pas, c'est l'heure de ton whisky en écoutant un vieux vinyle de… attends, laisse-moi deviner, Nina Simone ?

— Bingo mon cœur, quand viens-tu en France, tu me manques.

— Toi aussi Papa, tu me manques, nous allons venir une semaine à Paris, très bientôt, surtout que j'ai une surprise à t'annoncer !

— Tu sais très bien que je déteste les surprises !

— Tu vas être grand-père !

— C'est une super nouvelle, je suis très heureux, c'est pour quand ?

— Un peu plus de six mois.

— Cool, c'est une super nouvelle, je suis vraiment heureux pour toi et Malcolm.

— Et toi tu vas bien, ton idylle dure toujours ?

— Oui, j'ai vraiment hâte de te présenter Valérie. Elle est super, je n'ai jamais rencontré une personne comme elle. J'ai l'impression qu'avec elle, la vie est sur un coussin d'air, elle me repose, elle me comprend, elle dégage une telle plénitude, ça doit être son côté indien. Je n'aurais jamais pensé rencontrer la bonne personne à cinquante-huit ans !

— Tu vois que tout peut arriver.

— Oui, pour tout te dire, grâce à mes années de service, je peux prétendre à la retraite dans un an et demi. J'envisage sérieusement de me retirer de ce monde de fous, et profiter de la présence de Valérie et de mon futur petit-fils, précise Rudy avec malice.

— Papa, c'est peut-être une fille !

— Pas grave, je l'aimerai quand même !

Léna reconnaît bien là l'humour de son père.

— Et Laura, comment va-t-elle ?

— Tu la connais, elle a des hauts et des bas, mais c'est plutôt bas en ce moment. Elle se jette à fond dans le boulot, j'essaye de la raisonner, mais en vain, dernièrement, elle s'est battue avec un voyou, résultat, deux côtes cassées !

— Et le voyou ?

— Il est parti pour quelques années d'orthodontie.

— Ça ne m'étonne pas d'elle, dit Léna en éclatant de rire.

— Tu arrives quand ?

— La date exacte n'est pas encore figée, mais je te connais bien, tu vas stresser pour le vol, alors comme d'habitude Papa, je t'envoie un SMS dès l'atterrissage.

— Tu n'es pas cool avec ton vieux père.

— Ne t'inquiète pas, je t'aime Papa.

— Moi aussi mon cœur, je t'aime, et salue ce petit salaud de Malcolm qui m'a enlevé ma fille à l'autre bout du monde !

Léna raccroche, Rudy bascule tout son poids sur le dossier de son fauteuil en soupirant, ça lui fait du bien de parler avec sa fille. Il va annoncer à Valérie la nouvelle, enfin les nouvelles. Sa fille vient bientôt en France, il va être grand-père et sa décision est prise, il quitte la police dans un an et demi pour une retraite bien méritée. Ça lui fera plaisir, car Valérie vient de découvrir, malgré la jeunesse de leur relation, la vie de compagnes de flics, avec cette inquiétude permanente de ne pas le voir rentrer le soir.

Rudy est sorti de ses pensées par la vibration du téléphone, c'est Laura qui l'appelle comme d'habitude pour le debrief du soir.

— Oui Laura.

— Salut boss, comment tu vas ?

— Bien, je viens de raccrocher avec Léna.

— Cool, elle va bien ?

— Oui, elle vient bientôt.

— Super, ça va te faire du bien de la voir.

— Effectivement, alors, qu'est-ce que tu as à me dire ?

— J'ai rencontré l'oncle de Declerc, il nous cache quelque chose, j'en suis certaine, il est armé jusqu'aux dents, et pas du petit calibre.

— Il faut le mettre sous surveillance !

— Je suis d'accord avec toi, mais attention à qui tu lui mets dessus, c'est un ancien des forces spéciales, il est rusé.

— Quoi d'autre ?

— J'ai vu également la copine de Declerc, elle prétend ne pas connaître l'inconnue du parc Monceau, encore une fois, j'ai un doute sur sa franchise, et toi ? Quoi de neuf ?

— Journée de merde, j'ai passé mon temps en réunion, pas pu faire grand-chose. Demain je vais à Ambroise-Paré, voir le toubib qui a pris en charge l'inconnue, j'aurais peut-être d'autres infos. Djibril est toujours sur les enregistrements des caméras du 17e, il essaye de remonter sa trace, mais quasiment impossible. Cette gonzesse est une énigme, elle devient invisible, à croire qu'elle connaît par cœur les emplacements des caméras, ou alors elle dispose d'une cape d'invisibilité !

— C'est possible, reprend Laura. Demain je vais passer au garage présenter la photo aux employés, et aussi voir l'ancien trafiquant, Sofiane Abassi, mais là je n'ai aucun espoir d'une réponse !

— Tu as raison, ne perds pas ton temps avec lui, je dois te laisser, ça sonne, ça doit être Valérie, elle reste ici ce soir, on se voit demain au bureau.

Rudy raccroche et se dirige vers l'interphone.

— Coucou, c'est moi.

Il appuie sur le bouton d'ouverture, la voix de Valérie lui fait instantanément du bien, il l'accueille à la sortie de l'ascenseur en l'enlaçant de toutes ses forces.

— Aller, vient entre, j'ai plein de choses à te raconter.

25
Donneur d'ordres

Sergeï est assis dans la petite banquette dépliable du mobile home. Il observe ses prothèses posées par terre, à côté de lui, il repense à ce jour en Afrique, quand sa vie a basculé, ce jour qui a fait de lui un demi-homme. Jamais il n'aurait dû marcher sur cette mine antipersonnel, il était pourtant entraîné à l'antipathie, aucune pitié ne doit vous faire dévier de votre chemin. Pourtant, ce fameux jour, il est sorti du rang pour se diriger vers ces gémissements de femmes. En se rapprochant, il s'attendait à trouver une femme allongée par terre, dévêtue, violée et torturée, comme à l'habitude de certains groupes de rebelles qui pratiquent ce genre de sévices pour instaurer la terreur auprès de la population. Enfin c'est ce qu'ils veulent laisser croire. La vérité est plus simple que ça. C'est juste des bandes de mecs incultes à qui on a confié une arme et un gros paquet de dope, et qu'on envoie dans les villages avec le droit de faire ce qu'ils veulent, à qui ils veulent. Sergeï s'était rapproché des gémissements, il avançait lentement. C'est au moment où il aperçut le petit haut-parleur accroché dans un bosquet qu'un déclic sous son pied retentit. L'explosion l'avait projeté à plus de dix mètres, laissant sur place ses deux jambes, il s'était fait avoir comme un débutant ! L'empathie reste le pire ennemi du mercenaire.

Il ouvre une petite malle dans laquelle se trouve son cimeterre, précieusement rangé dans son étui, ainsi que les ordinateurs de Natalia et Bréand qu'il doit détruire et faire disparaître. Une vibration venant de son smartphone le prévient d'une notification lui indiquant qu'il a reçu un message de son donneur d'ordres, il entame le même rituel que d'habitude pour accéder à la lecture.

« On perd trop de temps, il faut retrouver la femme et la clé USB en urgence avant la police, ci-joint une photo pour une piste à suivre. »

Sergeï clique sur le lien et une photo de Leïla apparaît !

26
Laura et Stéphanie

Laura se présente à la concession dès l'ouverture. Elle est accueillie par Stéphanie, qui lui propose un café, Laura accepte avec plaisir. La soirée de la veille n'a pas été top, coup de blues et descente de la bouteille de vodka, ce qui lui laisse une haleine peu agréable. Même pour elle, alors ce petit noir ne sera pas du luxe.

— Désolée de vous déranger, mais j'ai besoin de vous poser quelques questions !

— Bien sûr, pas de problèmes, mais je dois communiquer les plannings de l'atelier, je vous demande quelques minutes et je reviens, en attendant, vous pouvez aller au salon VIP, vous serez mieux.

Laura va s'installer dans un des gros canapés en cuir réservés pour la clientèle qui patiente le temps que l'on s'occupe de leurs berlines de luxe. Elle savoure ce moment de tranquillité et de confort tout en buvant son café chaud. Elle a honte de ce qu'elle devient les soirs de détresse, et désormais elle ne peut plus débarquer chez Rudy sans prévenir. Elle est heureuse pour lui et est assez fière d'avoir joué les entremetteuses avec Valérie. C'est une femme bien, et sincère avec son boss. Elle ferme les yeux, le manque de sommeil se voit sur sa peau, et elle sait que Rudy va s'en apercevoir, alors mieux vaut aller au bureau le plus tard possible.

— Voilà, vraiment désolée, je suis à vous !

Laura sursaute à l'arrivée énergique de Stéphanie.

— Excusez-moi, j'étais en train de m'assoupir.

Laura sort de sa poche la photo de la femme brune, la présente à Valérie et lui demande si elle reconnaît cette personne.

— Non vraiment désolée, elle ne me dit rien, mais vous n'avez pas une autre photo plus nette ?

Laura déteste ce genre de questions, si elle avait une photo plus nette, c'est celle-là qu'elle montrerait, mais Valérie se rend compte immédiatement que sa question est ridicule et s'excuse auprès de la policière.

— Votre patron avait-il beaucoup de femmes dans son cercle de relation ?

— Non, d'ailleurs son cercle de relations était très restreint.

— Mais encore ?

— Juste quelques amis fidèles, comme madame Abassi ou son frère Sofiane, quelques anciens élèves de l'école de commerce, également un ou deux fournisseurs, avec qui il avait un peu plus qu'une relation professionnelle.

— Vous lui connaissiez une relation amoureuse ?

— Non, monsieur Declerc souhaitait rester libre, il ne voulait pas s'engager. Je sais qu'il avait des aventures, mais je ne posais pas de questions, et ce n'était un secret pour personne qu'il avait des sentiments pour Leïla.

— Vous savez s'il utilisait une agence pour ses rencontres?

— Il était mon patron, pas mon copain ! répond Stéphanie avec agacement, comme si Laura manquait de respect pour son boss défunt.

— Désolée, je ne voulais pas vous froisser, vous me disiez qu'il avait des sentiments pour madame Abassi ?

— Oui, mais pas Leïla, elle était… comment dire… Attirée par les femmes.

— Quand l'avez-vous vue pour la dernière fois ?

— Hier, elle est passée avec une amie pour prendre de mes nouvelles.

— Vous connaissez l'amie qui l'accompagnait ?

— Non, en plus elle portait un masque chirurgical, comme beaucoup de personnes désormais.

Laura rebondit sur cette réponse avec autorité.

— Regardez encore cette photo, l'amie de Leïla ne pourrait pas être cette femme ?

— Je ne sais pas, je vous dis, je n'ai pas fait attention, et maintenant je suis désolée, mais je dois travailler.

— Une dernière question. Monsieur Declerc avait-il reçu de la visite la veille de sa mort ?

Stéphanie fronce les yeux en signe de réflexion.

— Oui, Sofiane Abassi et il me semble que c'est le jour où Eva Boyle est passée lui déposer une invitation pour une vente de tableau ou quelque chose comme ça.

— Eva Boyle, l'ex-mannequin ?

— Oui, absolument.

— Vous l'aviez déjà vue avant ce jour ?

— Non, j'ignorais qu'il la connaissait !

— Merci Madame pour votre patience et encore désolée pour le dérangement.

Laura referme son calepin et salue Stéphanie, elle quitte la concession et rejoint sa voiture, elle est désormais certaine que Leïla lui a menti, et qu'elle connaît très bien la femme brune.

27
Fuite en avant

Gaby et Leïla chargent leurs sacs de voyage dans le coffre de la Mercedes. Gaby décide de prendre le volant, ça lui manque de conduire, mais surtout, il trouve que Leïla pilote comme une truffe. Leïla verrouille la maison et monte dans la voiture en râlant. Gaby lui a mis la pression pour partir à l'heure et ne pas rater le rendez-vous avec Sofiane à la gare Montparnasse pour ensuite prendre la route vers Amsterdam. Gaby actionne l'ouverture du portail et s'engage dans la Neuvième avenue, sans remarquer la Peugeot 308 stationnée cent mètres plus bas.

Gaby rattrape la nationale 16 en direction de Paris, il se sent soulagé de rencontrer le professeur Ryan. Il a besoin de savoir, de comprendre ce transfert, il regarde Leïla qui continue sa nuit, elle est belle, il ne sait pas comment la remercier pour tout ce qu'elle fait pour lui. Il l'aimait en tant qu'homme, mais va-t-il avoir les mêmes sentiments maintenant qu'il est femme ? Femme ! Ce mot n'arrête pas de résonner en lui, il est devenu femme, et il doit faire avec, pas le choix, son corps d'homme a été enterré. Il doit déjà être en phase de décomposition, son corps, sa chair, il hurle intérieurement. Il est en colère, mais il est vivant, oui, parfaitement vivant et à côté de la femme qu'il aime par-dessus tout, mais c'est plus fort que lui. Il donne un coup de poing sur le volant, ce qui sort Leïla de sa somnolence.

— Je peux te poser une question ?

— Oui, je t'écoute !

— Qu'est-ce que tu as dit à Sofiane dans l'oreille l'autre soir ?

— Sa phrase fétiche.

— Sa phrase fétiche ?

— Oui, je connais sa phrase fétiche, tu as déjà remarqué que quand il est stressé ou angoissé, il murmure, seules ses lèvres bougent légèrement, et je sais ce qu'il dit dans ces moments-là

— Ah ouais, toi tu sais ce que dit mon frère quand il crise ?

— « Désolé, il y avait du monde sur le périph. »

— Quoi ?

— « Désolé, il y avait du monde sur le périph ». C'est la phrase qu'il se répète dans ses moments de peur ou de stress. Il a commencé à répéter cette phrase dans ses débuts de go fast. Il devait respecter des horaires bien précis pour passer une sorte de « checkpoint ». Au début, il travaillait pour des trafiquants très violents, il savait que la moindre erreur pouvait être fatale, qu'il était surveillé de très près. Il faut dire qu'il transportait pour plusieurs millions d'euros de marchandises, et la trahison était monnaie courante dans ce milieu. Les chauffeurs disparaissaient avec la came pendant les transports, alors ils ont mis au point un système de points de contrôle que le chauffeur doit respecter au risque d'être sorti du réseau. Quand je dis sorti, c'est définitif. Sofiane était jeune quand il a commencé à piloter pour les trafiquants, il craignait les hommes qui le surveillaient, alors il se disait qu'en cas de retard, il dirait « Désolé, il y avait du monde sur le périph ». Mais tu connais l'histoire, il n'a jamais été en retard, sauf le jour de son arrestation.

— Pourquoi t'a-t-il raconté tout ça, à toi ?

— Je l'ignore, mais sans vouloir me vanter, je pense avoir été la première personne hors du cercle familial à lui avoir tendu la main, tu penses qu'il me croit vraiment quand j'affirme être Gaby ?

— Je ne sais pas, mais si ce n'est pas le cas, ça viendra !

Gaby regarde dans le rétroviseur et demande à Leïla :

— Qu'est-ce qu'elle avait comme voiture la fliquette qui est venue hier ?

— Une 308, pourquoi ?

— Je pense qu'on est suivis, par une 308, tu te souviens de la couleur ?

— Grise, de mémoire, mais il faisait sombre.

— OK, essaye de voir discrètement si c'est elle qui est au volant !

Leïla se retourne pour essayer de voir le chauffeur de la voiture. Tout est sombre dans l'habitacle, mais la silhouette ressemble plus à celle d'un homme. Gaby décide de changer de trajectoire et s'engage sur la nationale 104 en direction de Cergy-Pontoise. La 308 s'engage également. Au bout de quelques kilomètres, il sort de la quatre voies à la Croix Verte en direction de Sarcelle. La 308 les suit, ça ne fait plus aucun doute, ils sont suivis. Gaby s'engage sur la nationale une et décide d'accélérer, il fait monter les tours de la classe A, effectivement, il sent bien les 500 chevaux du bolide et atteint 220 kilomètres-heure en quelques secondes. À ce moment-là, il ne regrette pas ses cours de conduite sportive. C'est sans difficulté qu'il laisse sur place le poursuivant, au bout de quelques kilomètres, la 308 a totalement disparu de son rétroviseur. Il s'engage dans la sortie Saint-Brice-sous-Forêt et entre dans le centre commercial, il va se garer dans le parking couvert et coupe le moteur. Son corps entier tremble, il n'est pas habitué à ce genre de situations, il doit se calmer.

— Tu penses que ce sont les flics ? demande Leïla.

— Non, si c'était les flics ils auraient mis leur gyrophare pour nous rattraper.

— Putain, c'est qui, alors ?

— Je l'ignore, mais ce n'est pas bon signe.

Gaby actionne le bouton pour changer la couleur de la voiture ainsi que celui de la plaque. En passant en mode furtif, les vitres se teintent également, un détail que Sofiane a oublié de leur préciser. Gaby sort du parking couvert et traverse les allées pleines de familles qui font leurs courses pour la semaine. Il passe les portiques anti-caravanes et s'engage dans le premier rond-point. C'est à ce moment-là qu'il aperçoit la Peugeot 308 à une dizaine de mètres. L'homme au volant n'a rien d'un flic, même si sa mémoire peut lui jouer des tours, Gaby reconnaît immédiatement l'homme girafe !

Il prend la première direction pendant que l'homme continue sa route à la recherche d'une voiture noire, sans prêter attention à la grise qu'il vient de croiser.

— C'est le tueur ! dit Gaby avec sang-froid.

— Quoi ? Tu es sûr ?

— Oui, certain, j'ai croisé cet homme plusieurs fois, je pensais à un hasard, mais non, il me surveillait, c'est lui l'homme qui conduisait le camion qui m'a heurté, j'en suis désormais certain !

— Putain de merde, qu'est-ce qu'on va faire ?

— On suit notre programme, on récupère ma nouvelle pièce d'identité, et on part pour Amsterdam, direction Cork.

— J'ai peur Gaby, j'ai peur !

— Ne t'inquiète, on va s'en sortir, ça va aller.

Une heure plus tard, Gaby entre dans le parking Océan de la gare Montparnasse. Sofiane a choisi ce parking parce qu'il est sur un seul niveau, plus facile pour se retrouver, mais surtout parce qu'il n'est pas équipé de caméras de surveillance. Très vite,

Gaby repère la voiture de Sofiane garée dans un recoin, il se gare à côté et descend de la Classe A. Sofiane est là, assis au volant, il observe Gaby avec un air toujours aussi suspicieux. Pourtant quelque chose a changé depuis l'autre soir, cette nouvelle coupe de cheveux très garçonne lui rappelle le visage de son pote, la forme des yeux, les angles du visage.

— Bonjour sœurette, ça va ?

— Mouais, sauf qu'on s'est fait poursuivre par un mec trop chelou, Gaby dit que c'est le gars qui conduisait le camion qui l'a heurté !

Sofiane regarde Gaby.

— Tu en es sûr ?

— Oui, sûr et certain !

Sofiane a toujours du mal à regarder Gaby dans les yeux, ou à s'adresser à lui, il préfère passer par sa sœur pour donner les directives.

— Putain ça fait chier, il va falloir que tu préviennes les keufs un moment ou un autre, ça commence à devenir dangereux votre histoire, tu connais le flic qui mène l'enquête ?

— Oui, répond Gaby, c'est le commandant Servat, tu le connais ?

— Ouais, de réputation, répond Sofiane d'un ton agacé. C'est un vieux flic proche de la retraite, il est tenace, mais loyal. En cas de problèmes, voici le numéro de mon avocate, appelez-la, c'est elle qui entrera en contact avec les condés, ce sera toujours mieux que d'avoir affaire à l'autre type. Voici ta carte d'identité, tu t'appelles Elsa Virante, c'est une vraie carte d'identité. Cette nana existe vraiment, même tranche d'âge, environ même taille, si les keufs entrent ce nom lors d'un contrôle de papiers, ils tomberont sur une gonzesse, la trentaine, ils n'y verront que du feu.

— Merci pour tout, dit Gaby, je suis désolé de vous embarquer, toi et Leïla dans cette histoire, je ne sais pas comment vous remercier tous les deux.

— Hum, pas de soucis, mais faites gaffe toutes les deux !

Sofiane embrasse sa sœur, et regarde Gaby, le geste hésitant il lui tend la main. Gaby l'empoigne avec fermeté, comme un homme, sauf que sa main est féminine, fine et fragile. Sofiane exhibe un sourire en coin et remonte dans sa voiture, met le contact et disparaît dans les allées du parking.

Gaby regarde l'heure.

— Il faut partir maintenant Leï si on veut attraper le vol pour Cork.

Leïla acquiesce et monte dans la voiture pour effectuer les six heures de route qui les séparent d'Amsterdam.

28
Djibril superstar

Après deux heures de réunion avec la juge Delerme et le commissaire Vernon, Rudy se retranche dans son bureau pour décompresser. Un café à la main, il observe la photo de Léna posée à droite de son ordinateur. Il a hâte de la voir et de pouvoir partager sa nouvelle vie avec sa fille, de lui présenter Valérie, il est convaincu que ça matchera entre les deux femmes. Valérie a été enchantée de la perspective de rencontrer bientôt sa fille et de sa décision de prendre sa retraite, elle pourra ainsi disposer de son bel homme à volonté.

Rudy prend son téléphone et appelle Laura qui répond au bout trois sonneries.

— Ouais boss.

— Ça va, ça a donné quoi à la concession ?

— Intéressant, Declerc avait une vie plus intense que ce que l'on croyait et sa copine, Leïla Abassi nous raconte Blanche-Neige. Elle est passée à la concession avec une femme, je suis sûr que c'est celle qu'on recherche, je vais refaire un tour chez elle, et cette fois elle va cracher ce qu'elle sait. Tu peux faire jouer tes relations, il me faut l'adresse d'Eva Boyle, je dois l'interroger, elle est venue voir Declerc la veille de son meurtre.

— Eva Boyle ! Le mannequin ?

— Oui boss, le mannequin !

— OK, je vais demander à Dechamps du service presse !

— Salut patron, devinez qui est la superstar de l'informatique ? C'est moi, super Djibril !

Djibril vient d'entrer dans le bureau de Rudy.

— Regardez patron ! dit-il en posant son ordinateur portable devant Rudy. C'est un nouveau logiciel que j'ai téléchargé, je ne vous dirai pas où, et ni comment, sinon vous allez me tuer. C'est un truc de dingue. Avec ce logiciel, je peux séparer les pixels d'une photo à l'infini, ressortir les formes les plus fines et les plus petites de l'image. Je peux éclater la vue et recréer avec seulement ceux qui m'intéressent !

Rudy regarde Djibril d'un air ahuri.

— Je ne comprends rien à ce que tu racontes !

— Je vais essayer de faire simple. C'est le même procédé qu'utilisent les gars pour les films de synthèse, comme *Avatar*, ou les jeux vidéo. Ils positionnent des capteurs sur les acteurs et ensuite ils y intègrent ce qu'ils veulent, ce qui rend les personnages plus vivants que les vrais. Moi, je l'utilise dans l'autre sens, à partir d'une photo, je sépare les pixels, je super-zoome, et je l'épluche comme un oignon, couche par couche. J'obtiens une reconstitution comme pour une échographie 3D.

Djibril retourne son écran en direction de Rudy qui reste bouche bée face à l'image qu'il voit.

— C'est notre gars, l'homme girafe, regardez patron, je commence à l'éplucher, et petit à petit on aperçoit ce qu'il y a sous son manteau.

L'image change progressivement, le manteau et la capuche disparaissent laissant apparaître un sabre. La forme est claire et ressemble bien à la description du cimeterre faite par Manu. Le visage est flou, mais exploitable, les couches disparaissent encore et on distingue les deux prothèses en carbone en forme d'arc de cercle sous le pantalon.

Rudy regarde stupéfait l'évolution de l'image qui dévoile le corps d'un homme.

— Tu me fais peur Djibril, mais je t'adore !

— Regardez patron, depuis cette image, j'ai pu déterminer la morphologie exacte du gars. On aperçoit également une partie de son profil, j'ai établi un portrait-robot à partir de ces données, j'ai lancé une recherche sur nos bases de données, ça n'a rien donné.

Rudy souffle en basculant sur le dossier de son fauteuil.

— Mais… reprend Djibril, j'ai balancé les mêmes données à Interpol, et voilà.

Djibril ouvre une autre page sur laquelle est affichée une photo d'un homme.

— Je vous présente, Sergeï Kenko, cinquante ans, ancien mercenaire du groupe Wagner. Blessé en Afrique, où il a perdu ses deux jambes en dessous des genoux. Il est spécialiste en arts martiaux, et particulièrement les sabres orientaux. Il est aujourd'hui tueur à gages et recherché par Interpol pour différents meurtres dans lesquels il apparaît comme suspect.

— Djibril, tu as fait un super boulot, il faut diffuser son portrait en urgence et retrouver ce mec.

Rudy attrape son portable et appelle Laura.

— Laisse tomber la copine de Declerc, tu rentres au bureau immédiatement, je veux voir toute l'équipe dans une heure, je convie également le commissaire.

Laura est la première à arriver en salle de réunion, Rudy constate immédiatement que la nuit a été difficile.

— Tu as vu la gueule que tu as ?

— Ne fais pas chier, boss.

— Laura, je te considère comme ma fille, et tu le sais. Appelle-moi quand tu pars en vrille, tu sais que tu peux compter sur moi. Je n'ai pas envie de te ramasser à la petite cuillère ou d'aller un jour à l'IML reconnaître ton corps, alors pour la dernière fois, APPELLE-MOI ! Et va te rafraîchir un peu, le commissaire est de la fête, je ne veux pas qu'il te voie comme ça !

Laura acquiesce en baissant les yeux.

Une heure après, tout le monde sort de la salle de réunion. Richard a piqué sa colère devant la lenteur à laquelle avance l'enquête et demandé à tout le monde de se sortir les doigts. Djibril, lui a été félicité par le commissaire pour le travail qu'il a fait, heureusement, Richard n'a pas percuté sur l'origine du logiciel que Djibril a hacké on ne sait où !

— Rentre te reposer, dit Rudy à Laura, ça te fera du bien, au fait, j'ai oublié de te dire, ma décision est prise, je prends ma retraite dans dix-huit mois.

— Tu es sérieux, tu ne vas pas t'arrêter si tôt ?

— Si tôt ? Si Laura, je vais m'arrêter, j'en ai plein le cul des têtes coupées et autre merdier de ce genre. Je vais être grand-père !

— Quoi, Léna est enceinte ? Trop top, tu la féliciteras pour moi.

— Tu le feras toi-même, elle vient bientôt à Paris, et maintenant va dormir un peu et prendre une douche, sans vouloir te vexer, tu pues !

— OK boss !

Laura disparaît dans les couloirs sans fin de l'étage. Rudy l'observe, il est triste et s'en veut de ne pas réussir à la remettre totalement sur pied. Mais comment l'aider, elle est plus têtue qu'un troupeau d'ânes. Pourtant, il la voit dépérir à grande vitesse, l'alcool, le chichon et la violence sont devenus son quotidien, et leur métier est comme une batterie additionnelle branchée en permanence pour être sûr que la tension ne chute pas. Rudy soupire et espère que sa vie changera le jour où elle rencontrera quelqu'un, et pourvu que ce ne soit pas un flic.

Rudy rejoint son bureau et constate qu'il a reçu un nouveau mail :

Eva Boyle
32 ter avenue de Suffren
*Paris 16e*
Chanceux, si tu peux, prends un selfie avec elle !
Pierre Déchamps
Service presse BRI
36 rue du Bastion
75017 Paris

Rudy note l'adresse sur son vieux calepin et le remet dans la poche de son veston, puis appelle Valérie.

— Allo ?

— Coucou chérie, ça va ?

— Oui je suis en promenade sur les Champs, et toi ça va ?

— Oui, mais Laura, non !

— Oh, la pauvre, dis-lui de venir manger à la maison ce soir, je fais du poulet à la réunionnaise, elle va adorer !

Valérie est vraiment adorable, elle est toujours dans l'empathie avec les gens.

— OK, je vais lui proposer, je t'embrasse, à ce soir.

Rudy raccroche et tape le nom de Sergeï Kenko sur son ordinateur dans la base de données à accès limité de la DGSE, une sorte de compte rendu comme Wikipédia apparaît. Rudy parcourt l'écran, la lecture des états de services de Kenko lui fait froid dans le dos, il prend alors conscience qu'il va falloir arrêter ce gars rapidement, mais comment ?

29
Amsterdam Schiphol

Gaby regarde l'heure, à 16 h 45, il prend la direction d'un des parkings à proximité du terminal 3. Il réveille Leïla qui dort tranquillement à côté et va garer la Mercedes. Une fois les bagages récupérés, il faut rejoindre le terminal « Departures 3 ». L'aéroport est immense, c'est un dédale de couloirs et de tapis roulants. Les voyageurs se croisent dans tous les sens, les têtes sont toutes levées vers les tableaux d'affichage. Toutes ces personnes en correspondance pour les États-Unis ou encore le Moyen-Orient, l'aéroport d'Amsterdam est sûrement la plus grosse plateforme de transit aérienne. On y retrouve toute sorte de salles d'attente, d'espace coworking pour les businessmans en attente de leurs correspondances. Gaby et Leïla retrouvent enfin le terminal 3 et recherchent sur le tableau d'affichage le vol Aer Lingus pour Cork qui affiche. « On time ». Il faut maintenant passer les contrôles avec la fausse/vraie carte d'identité au nom d'Elsa Virante.

Gaby se présente au contrôle avec un sourire, mais sans trop en faire pour ne pas paraître suspect. La personne au guichet scanne le billet téléchargé et contrôle la pièce d'identité en levant à peine les yeux, Gaby passe le contrôle sans aucun souci, suivi de Leïla. Maintenant en zone d'embarquement c'est le soulagement, le temps de prendre un café avant de s'envoler pour l'Irlande.

Deux heures plus tard, le Boeing 737 amorce sa descente vers l'aéroport international de Cork. Gaby découvre à travers le hublot la terre irlandaise. Il est émerveillé par le mélange de couleurs que propose la terre gaélique. Il n'a jamais vu un paysage proposant de telles nuances de vert sur un relief vallonné côtoyant le bleu marin, presque noir, de la mer Celtique.

Le débarquement et la sortie se passent sans problème. Gaby et Leïla prennent un taxi, direction le centre-ville de Cork. Leïla a réservé une chambre dans un petit hôtel de St Patrick's Street. Le chauffeur ne met qu'une vingtaine de minutes pour relier l'aéroport au centre-ville et dépose les deux femmes au St Patrick's Bridge, en raison de la *jazz week*, la circulation est interdite dans le centre. L'ambiance est à la fête, les rues sont bondées de monde, une foule interminable déambule au rythme des groupes qui jouent plus ou moins fort. Leïla aperçoit l'enseigne de l'hôtel et tire Gaby par la main qui reste planté devant un groupe jouant du U2.

La chambre est de petite taille, mais agréable, Leïla qui parle couramment anglais s'occupe de réserver une voiture pour le lendemain. Gaby décide de se rafraîchir en prenant une douche, imitée par Leïla quelques minutes plus tard. Vingt et une heures, elles décident d'aller manger un morceau. La foule s'est densifiée, les Irlandais sont à la fête, ils dansent, chantent, boivent de la Guinness. L'ambiance est bon enfant, à la grande surprise de Leïla et Gaby, pas de bousculades, aucune agressivité malgré le début d'ébriété des jeunes gens. Gaby aperçoit un pub qui sert du fish and chips. Elles décident d'entrer, la musique et encore présente à l'intérieur, un groupe installé au fond de la salle, joue *Zombie* des Cramberries. La chanteuse a quasiment le même timbre de voix que Dolores O'Riodan. Leïla et Gaby s'installent, bien décidées à lâcher prise, elles commencent par deux pintes de bière.

Trois pintes et un fish and chips plus tard, la chanteuse a été remplacée par un autre membre du groupe qui enchaîne les titres de Kodaline, Hozier, U2 et autres groupes de rock irlandais. L'ambiance est au beau fixe, l'alcool commence à monter et les rend festives. Elles décident d'aller s'éclater sur la piste de danse. Mais Gaby a oublié qu'il était désormais dans le corps d'une jeune et jolie femme qui a suscité, dès qu'elle s'est levée de table l'attention d'une bande de rouquins bien décidés à séduire les deux Françaises fraîchement arrivées. L'orchestre se met à jouer *You Can Leave Your Hat On*, ce qui rappelle à Gaby la soirée avec Leïla. L'alcool aidant, il attrape Leïla par les hanches, positionne sa main droite sur ses fesses et se met à la frotter au rythme de la musique. Il rapproche sa bouche de son cou, commence à l'embrasser tout en remontant vers ses lèvres, il sent en lui une excitation intense qui le rend très entreprenant envers Leïla, elle apprécie fortement la démarche. Les deux jeunes femmes se lancent dans un slow sensuel sous les regards hébétés du public et supprimant tous les espoirs aux rouquins, repartis se consoler au bar auprès de leur fidèle Guinness.

Quand Gaby comprend qu'ils, ou plutôt, qu'elles sont observées par l'assemblée, il tire Leïla par la main et elles sortent de la piste de danse. Elles rejoignent leur table, finissent leur Guinness et quittent le pub.

De retour à l'hôtel, Gaby désire Leïla, il a envie de sexe. Il se jette sur le lit en embarquant Leïla avec lui. Il monte sur elle et frotte le bas de son ventre contre Leïla. L'effet n'est pas celui qu'il attendait, pas d'érection, pourtant il sent cette excitation en lui, une vibration dans le ventre, une envie d'être caressé, touché. Il passe sa main entre ses jambes, il sent l'humidité de son nouveau sexe, il se cambre, ferme les yeux, respire fort, et soudain, ce n'est plus sa main qu'il le caresse, mais celle de Leïla. Elle s'approche, lui mordille l'oreille et avec un souffle chaud, lui susurre « laisse-moi faire ». Elle lui enlève son tee-shirt, lui suce les tétons avec une telle douceur que Gaby se décontracte et commence à éprouver une forme de plaisir intense. Leïla lui déboutonne son jeans, puis le lui enlève, très lentement. Elle se déshabille également, les deux femmes sont maintenant nues. Leïla caresse Gaby, ses doigts sont comme une plume qui va et vient entre ses cuisses, puis, délicatement, elle vient lui lécher l'entrejambe tout en se rapprochant du pubis jusqu'à atteindre son clitoris. Gaby ferme les yeux et s'abandonne entièrement dans le plaisir féminin et cette jouissance totalement nouvelle pour lui.

Gaby est réveillé par le bruit des fûts de bières que le personnel des pubs sort dans la rue. Il ouvre doucement les yeux ; Leïla est blottie contre lui, il sent l'odeur de sa peau, elle émet un léger ronflement qui le fait sourire. Il se dégage doucement, sort du lit et se dirige vers la fenêtre, l'excès d'alcool de la soirée lui rappelle les douleurs menstruelles en lui infligeant un mal de crâne.

Il ouvre légèrement les rideaux pour observer Cork qui commence à se réveiller. Les rues sont quasiment vides, des fûts de bière sont déposés en pyramides devant les pubs en attendant le ramassage et le dépôt d'autres fûts neufs pour attaquer cette nouvelle journée. Les immeubles ne dépassent pas plus de trois ou quatre étages. Les façades sont en briques rouges, mais également colorées en bleu, rose ou vert, les fenêtres guillotines à petits carreaux lui rappellent le Nord de la France et la Belgique. La façade de l'immeuble en face est une immense fresque représentant des femmes et des enfants en haillons, les regards graves en train de travailler dans un champ. C'est apparemment la manière des Irlandais de manifester leur mécontentement et leurs revendications en peignant sur les murs. Gaby sent la main de Leïla se poser sur son épaule, il sent son souffle venant lui déposer un baiser dans le bas du cou.

— Bonjour mon cœur.

— Bonjour Leï.

Gaby se retourne, elle est là, debout devant lui, nue, elle est belle. Il lui rend son baiser accompagné d'un sourire tendre.

— Allons nous préparer, dit-elle, j'ai réservé la voiture pour neuf heures.

— OK, répond Gaby en prenant la direction de la salle de bains.

Une demi-heure plus tard, Gaby et Leïla sont prêtes pour quitter l'hôtel. Il regarde sur Waze le temps de trajet pour rejoindre Portmagee, dans le comté de Kerry. C'est la ville où habite le professeur Ryan. Le temps de route est estimé à deux heures trente minutes. Leïla a réservé une voiture chez Europcar, sur Union Quay, en face de Trinity Bridge, à quinze minutes à pied de l'hôtel. Le ciel est bleu, mais une légère brise aux effluves marins vient refroidir l'air. Arrivée devant l'agence de locations, Leïla prend les choses en main. Elle ressort au bout de quelques minutes, munie d'une clé et actionne l'ouverture de l'Opel Astra.

— C'est moi qui conduis, précise Leïla en s'installant au volant de la voiture, mais du côté gauche, et se retrouve devant la boîte à gants !

Gaby s'installe du bon côté avec un sourire moqueur.

— Ah, les gonzesses ! dit-il en rigolant.

— Les gonzesses ? Tu veux que je te montre à quoi tu ressembles !

— Non, pas besoin, au fait, à ce sujet, c'était bon cette nuit !

— Pour moi aussi, répond Leïla, finalement, ta mutation physique me satisfait assez !

— Pour moi un peu moins, mais, je suis vivant.

— Et puis tu vois, pas besoin de manche pour savoir piloter…

Leïla sourit, Gaby met le contact et quitte le parking de l'agence, direction Portmagee.

Une fois sortie de Cork, Gaby prend la nationale 22 en direction de Tralee, une voie express qui traverse le sud de l'Irlande d'est en ouest. Arrivé à Killarney, il prend la nationale 72. Une route plus sinueuse qui leur fait découvrir les montagnes et vallées vertes peuplées de moutons blancs qui affirment avec pureté le côté sauvage de l'île. Des maisons espacées avec de grands jardins sans barrière ni clôture nous rappellent le respect que peuvent avoir les habitants pour leur terre. Arrivée à Killorglin, Gaby prend la direction de Portmagee en empruntant la N70, une route côtière encore plus petite traversant des villages aux petites maisons de briques. Tout n'est que vert pour la terre, noir pour la roche et bleu pour le ciel. En s'approchant des côtes, on peut ajouter le bleu marin, presque noir de l'Atlantique Nord. Gaby est émerveillé par la sérénité ambiante de ce paysage si grandiose. Une sensation que le temps s'est arrêté, une nature qui impose son droit, on ne peut imaginer l'homme y toucher en faisant n'importe quoi. Ici c'est la nature qui vous enveloppe et vous contrôle, ici c'est elle qui impose ses règles.

Gaby regarde l'heure, ça fait maintenant trois heures qu'ils ont quitté Cork. Leïla dort à côté, il décide de la réveiller afin de partager ce décor, elle grogne un peu, mais une fois les yeux ouverts, en apercevant les falaises, c'est un « Ouah » qui sort de sa bouche.

— On est encore loin ?

— Non encore un petit quart d'heure.

— Tu crois qu'il sera là ?

— Normalement il ne quitte plus Portmagee.

— OK, tu te sens bien, prêt pour le rencontrer ?

— Je n'ai pas le choix, il me faut une réponse, pourquoi ce transfert ? Pourquoi ce corps ? Mais surtout… (Gaby respire un grand coup), pour combien de temps ? Ce corps est-il devenu le mien, ou juste un prêt, j'ai tant de questions, je compte vraiment sur Ryan pour m'apporter des réponses.

Arrivés à Portmagee, Gaby et Leïla découvrent un village de pécheurs, l'axe principal longe le petit port dont les maisons mitoyennes arborent des façades de toutes les couleurs. Le professeur Ryan habite la dernière maison sur Hold Road Cottage. La route se termine en chemin de terre, Gaby se gare devant une petite demeure blanche avec le toit en ardoise, toujours les fenêtres à guillotine. Le portail est ouvert, un chien, un griffon à poils durs est tranquillement allongé devant la porte d'entrée de la maison. Gaby sort de la voiture et va vérifier le nom sur la boîte aux lettres. C'est bien le nom d'Ernest Ryan qui y est inscrit. Il actionne la cloche accrochée en guise de sonnette, le chien relève la tête sans même aboyer, la porte de la maison s'ouvre et un homme apparaît.

— *Hello, what can i do for you* ?

— *Good morning, my name is Gabriel Declerc, I want to talk to you !*

— Oh, vous êtes Française ?

— Oui, ça s'entend tant que ça ?

— Sans vouloir vous offenser, oui, répond Ryan avec un grand sourire.

Ernest Ryan ne ressemble pas à ce que s'imaginait Gaby. Il s'attendait à rencontrer un homme au look baba cool, cheveux longs blancs avec une queue-de-cheval, les dents jaunies par le tabac et les ongles noirs à cause des bûches de bois déposées dans la cheminée. Or, c'est tout à fait le contraire, il est apprêté d'une chemise blanche, d'un pantalon de velours brun, les cheveux blancs sont courts et coiffés. Le sourire est digne d'une publicité pour du dentifrice. Les yeux sont bleu ciel, presque gris, ce qui lui donne un regard troublant, quasiment impossible à soutenir. Ryan n'a rien de Panoramix, mais plutôt de Pierce Brosnan avec une barbe de trois jours.

— Ouah, depuis quand Panoramix ressemble à James Bond ? susurre Leïla.

— Alors Mademoiselle, que puis-je pour vous ?

— Vous parlez super bien français ! dit Leïla en s'approchant.

— Merci, je n'ai aucun mérite, j'ai vécu en France pendant plus de dix ans, ma femme était Française.

— Je suis vraiment désolé de vous déranger Professeur, mais, peut-on entrer, je dois vous parler.

Ryan fronce les yeux en se rapprochant du visage de Gaby, puis, fait le tour tout en l'inspectant, se repositionne devant elle et tout en se frottant le menton demande.

— Depuis combien de temps ?

— Pardon ? demande Gaby.

— Depuis combien de temps avez-vous fait le transfert ?

Gaby reste surpris par l'aplomb de Ryan !

— Trois semaines environ ! répond Gaby d'un ton hésitant, mais rassuré d'être reconnu en tant que walk-in.

— Hum, intéressant, le transfert s'est passé dans quelles conditions ?

— J'ai eu en accident et je me suis réveillé dans ce corps, dont j'ignore tout !

— Hum, très intéressant, venez, entrez.

Leïla et Gaby suivent Ryan qui entre dans la maison sans oublier une caresse sur la tête du griffon en passant qui se met instantanément sur le dos en espérant plus d'attentions.

— Comment s'appelle-t-il ? demande Gaby.

— Napoléon.

— Napoléon, comme… notre Napoléon, l'empereur ?

— Je vous ai dit que j'ai vécu en France, mais tout de même, pas assez pour baptiser mon chien comme votre empereur, non c'est Napoléon comme le cognac !

Ryan clôture sa phrase avec un clin d'œil et un sourire charmeur.

— Désirez-vous un café ou autre chose ?

— Un café, merci.

— Vous venez de Dublin ?

— Non, de Cork.

— Ah oui, c'est mieux, je préfère Cork à Dublin, c'est une ville à taille humaine, et il y a une excellente université. Comment avez-vous eu mon adresse ?

— Eva Boyle, c'est elle qui m'a parlé de vous et m'a conseillé de venir vous voir.

— Je dois vous avouer, Eva m'a prévenue de votre venue, mais j'ai quitté la vie active depuis plusieurs années, je n'écris plus et ne fais plus de conférences !

— Je sais professeur, mais je suis venu pour chercher des réponses.

— Vous voulez des réponses ? Vous êtes-vous d'abord posé les bonnes questions ? Mais surtout, la… bonne question ! Pourquoi mon âme a-t-elle choisi ce corps ? Vous me dites que vous ignorez tout de ce corps, en êtes-vous bien sûr ? Venez avec moi, nous allons marcher un peu au bord des falaises, l'air vous fera un grand bien, je trouve un peu pâle, dit Ryan lui appuyant sur l'omoplate.

Ryan attrape la vieille parka avec un col en peau de mouton accrochée sur le portemanteau et l'enfile.

— Si vous n'y voyez pas d'objections, je vais rester là, suggère Leïla.

— Bien sûr, Mademoiselle, si vous avez besoin de vous restaurer, n'hésitez pas, il y a de quoi dans le frigidaire, faites comme chez vous.

Leïla acquiesce avec timidité, il faut dire que Ryan impressionne. C'est avec une élégance très british qu'il invite Gaby à la suivre en passant la porte et en caressant Napoléon, qui se met instantanément debout pour participer à la promenade.

Ils empruntent un petit chemin en direction des falaises. L'air est frais, mais si pur, si iodé qu'il vous oblige à respirer par petites doses, de peur qu'il ne vous rende ivre. Le chemin est cerné par des pâtures vertes dans lesquelles broutent des moutons et des chevaux.

— Vous sentez, Mademoiselle cet air que l'on respire, cette terre sous nos pieds, ce vent qui agite nos cheveux, qui sont-ils réellement, pourquoi les sentons-nous ? Pourquoi la vie nous a donné des sens qui nous apportent du plaisir et du réconfort, mais qui ne sont pas vitaux pour l'homme, enfin pour son enveloppe. Car si vous êtes ici aujourd'hui, c'est parce que, vous avez perdu la vôtre. Alors la véritable question que vous devez vous poser est « étiez-vous en accord avec votre corps », connaissez-vous l'expression « à corps perdus », alors changer l'orthographe, et nous revenons à la phrase précédente « accords perdus ». Reliez ce que vous étiez à ce que vous êtes devenue, une âme ne choisit pas une enveloppe par hasard.

— J'ignore à qui était ce corps avant d'être dedans, je n'arrive pas à l'identifier, j'étais un homme avant d'être elle.

— Un homme ? On peut dire que votre cas est intéressant, l'intégralité de votre mémoire est-elle intacte ?

— Oui, je me souviens de toute ma vie, aucun moment n'a disparu, tout est intact, sauf ma chair, qui doit être en décomposition maintenant.

— C'est très rare un cas comme le vôtre, avez-vous des frères et sœurs ?

— Non, je suis fils unique !

— En êtes-vous sûr ?

— Oui, sauf si mes parents m'ont menti.

— Sont-ils encore vivants ?

— Non, malheureusement !

— Serait-il possible qu'ils vous aient menti ?

— Mais pourquoi, dans quel but ?

— Vous savez, la vie nous réserve souvent bien des surprises !

— Pourquoi dites-vous ça ?

— Parce que les cas de transferts dont l'âme passe intégralement avec toute sa mémoire, son disque dur, comme disent les jeunes, est souvent dû à un lien fraternel, et essentiellement entre jumeaux. Je ne suis pas catégorique, mais il y a de grandes chances pour que vous soyez dans le corps de votre sœur jumelle !

Gaby est abattu face à cet aplomb et cette révélation, il est venu jusque-là pour rencontrer cet homme qui lui affirme que ses parents lui auraient menti, et qu'il avait une sœur jumelle ! Pourtant, au fond de lui, il perçoit une once de vérité dans ce qu'il vient d'entendre. Il a toujours senti un manque physique, une âme sœur. Souvent, la nuit, il entendait une respiration à côté de lui, comme une présence, on dit que l'on ne se souvient jamais du jour de sa naissance, pourtant ! Il se rappelle des cauchemars qu'il faisait étant petit, l'image de l'enfant enlevé des bras de sa mère à la naissance. L'odeur aseptisée d'une salle d'accouchement. Il imaginait que c'était lui qu'on enlevait à sa mère, mais non, l'enfant qu'il voyait s'éloigner dans les bras de l'infirmière n'était autre que sa sœur jumelle. Il se souvient aussi de son amie imaginaire, Victoria, dont le visage ressemblait au sien, en plus fin. Ce visage ressemble à celui qu'il arbore aujourd'hui. Comment n'a-t-il pas fait le rapprochement ? Tout se mélange, tout se met à tourner autour de lui, il en perd l'équilibre et finit sur les genoux. Le vent si frais lui brûle désormais les yeux, et l'air qu'il respire lui arrache la trachée, des larmes de colère lui montent, un mensonge, sa vie est basée sur un mensonge, pourquoi ?

Ryan le relève et le porte jusqu'au muret en pierre qui clôture la prairie, Gaby reprend petit à petit ses esprits.

— Vous êtes sûr de ce que vous me dites ?

— Vous êtes venu chercher des réponses ? Que pensiez-vous entendre en venant me voir ? Ce que vous vivez est une expérience hors du commun que la vie vous offre, c'est une grande chance, pas une pénitence. Vous devez désormais accepter ce corps avant qu'il ne vous rejette, être en accord avec lui, le remercier de vous accueillir. Vous devez le respecter et le regarder avec ses yeux à lui, plus avec le regard de l'autre enveloppe. Notre corps est comme une fleur que l'on arrose. Comme un arbre qui vieillit. Comme cette pierre qui semble immobile. Nous faisons partie de cette nature, c'est elle qui nous a acceptés. L'être en lui-même est dématérialisé, regardez ce qui vous arrive aujourd'hui, vous devez en faire le constat, et admettre cette vérité. J'ai passé ma vie à essayer de prouver que la folie n'existait pas, que l'âme est une machine parfaite, même si parfois elle n'est pas comprise. J'ai trouvé les réponses ici, sur la terre de mes ancêtres, où la nature communique encore avec nous. Venez avec moi, je vais vous faire découvrir quelque chose.

Ryan aide Gaby à se relever en le prenant par la main, puis l'entraîne vers les falaises. Une fois au bord, il regarde Gaby avec ses grands yeux bleus, devenus gris avec le soleil qui a rétracté ses pupilles.

— Je vais vous expliquer les raisons pour lesquelles je vis ici, faites-moi confiance, enlevez vos baskets et vos chaussettes.

Gaby s'exécute et se retrouve pieds nus sur l'herbe fraîche, il sent le vide de la falaise qui l'attire et les gouttes d'eau des embruns causés par les vagues en contrebas. Ryan lui fait faire un tour à 360°.

— Regardez autour de vous ! Regardez au large ! c'est l'île Lemon. Regardez la falaise, l'océan, la terre et ses collines, pensez-vous que ce que vous voyez est une nature morte ? Pensez-vous que tout ce qui nous entoure n'est que matières dures, molles, liquides, gazeuses ? Non, cette nature est vivante, elle parle, elle respire, elle bouge. Maintenant, fermez les yeux, et ancrez vos pieds dans le sol. Imaginez qu'ils s'enfoncent et fusionnent avec la terre. Imaginez que l'air que vous respirez est le liquide amniotique, et que le vent est une caresse de votre mère. Imaginez que tout autour de vous est un être vivant.

Ryan pose sa main sur celle de Gaby, et là, tout bascule. Tout se met à bouger autour de lui, il sent des vibrations dans tout le corps, la respiration de la terre sous ses pieds. Il ouvre les yeux et tout est en mouvement, tout est vivant, la terre qui respire, la falaise est devenue un troll allongé, on perçoit les yeux, la bouche, le nez, il lui sourit. L'océan chante, chaque vague prend une forme de visage, les nuages blancs deviennent des formes géographiques. Il est enveloppé par une douceur de peau de pêche, il ne sent plus le frais de l'air ni la chaleur du soleil sur sa peau, tout est magique. Il se sent bien, il se sent porté, il pose sa main sur l'herbe et entend les battements d'un cœur, oui, tout est vivant. Il n'est plus qu'un fragment de ce qui l'entoure, il s'allonge dans l'herbe, il la sent pousser pour l'enveloppe telle une couverture. Il s'abandonne à cette nature et sombre dans l'abîme.

— Gabriel, GABRIEL, Gaby !

Gaby ouvre les yeux, Ryan est posté au-dessus de lui.

— Vous allez bien ?

— Oui, que s'est-il passé ?

— Vous avez rencontré le monde réel qui vous entoure !

— C'était magique, comment faites-vous ça ?

— Je suis druide, vous l'avez oublié ? dit Ryan en lui faisant un clin d'œil.

— Non, professeur, je n'ai pas oublié !

Gaby aperçoit Leïla qui marche dans leur direction pour les rejoindre. Napoléon émet un ouaff sourd et grave, puis se dirige vers elle comme pour l'accueillir.

— Putain, comme c'est beau ici !

— Oui, mais tu ne vois pas tout ! répond Gaby en faisant un signe de la tête à Ryan.

— Allez venez, rentrons, j'ai préparé un Irish stew, vous verrez c'est très bon, c'est une sorte de potée à base de viande et de légumes. Je vais vous installer dans la chambre d'amis, il est trop tard pour prendre la route, vous repartirez demain.

Impossible de refuser la proposition de Ryan. Gaby est très fatigué avec l'expérience qu'il vient de vivre, un bon plat chaud et une bonne nuit seront les bienvenus.

Sur le chemin du retour, Gaby fait un petit compte rendu à Leïla sur l'hypothèse d'une sœur jumelle, une sœur cachée par ses parents, Leïla l'écoute avec attention tout en lui tenant la main.

— Je dois appeler tonton Will.

— Tu en es sûr ? Tu ne préfères pas attendre d'être en France ?

— Non, je veux savoir !

Leïla acquiesce et serre un peu plus fort sa main en guise de soutien.

Arrivé dans la maison, Gaby prend le téléphone prépayé et compose le numéro de William Fouquier, il met sur haut-parleur et attend la sonnerie, au bout de la troisième, tonton Will décroche !

— Allo ?

— Bonjour, c'est moi !

— Victoria, Dieu soit loué, tu es en vie ! crie William avec des sanglots dans la voix.

Gaby regarde Leïla avec stupéfaction

— Pardon ? répond Gaby.

— Victoria, mais où étais-tu ? Je te cherche partout, et je ne suis pas le seul, la police est venue ici. Putain c'est bon de t'entendre, comment vas-tu ? Pourquoi n'es-tu pas venue à l'enterrement de Gabriel ?

— Je t'expliquerai.

— C'est tellement dur d'avoir perdu ton frère et toi qui disparais, dis-moi où es-tu, je dois te voir en urgence.

— Ne t'inquiète pas, je vais bien, je te rappelle plus tard !

Gaby raccroche et regarde Leïla sans dire un mot. Elle le prend dans ses bras et le serre fort comme un enfant que l'on veut consoler. Les yeux remplis de larmes, il se tourne vers Ryan qui a assisté à la scène.

— Vous aviez raison, on m'a menti ! dit-il.

— Ne le voyez pas ainsi, essayez d'en savoir plus sur les raisons de ce mensonge. Si j'ai bien compris, votre oncle saura vous apporter des réponses, et maintenant, venez manger, un bon Irish stew se déguste bien chaud.

30
Rue de Lévis

Rudy déverrouille sa Mégane et prend place au volant. Il n'a pas passé la nuit avec Valérie qui faisait une soirée entre copines, c'est fou, mais même pour une nuit, elle lui manque. Il attend toujours la date exacte où Léna arrive à Paris. Il est pressé de la retrouver, de pouvoir enlacer sa fille, il a hâte de lui présenter Valérie et de voir son bidon qui doit commencer à s'arrondir. Il regarde l'adresse d'Eva Boyle, 32 ter avenue de Suffren, il n'a pas besoin de l'entrer dans son GPS, il connaît Paris par cœur. Il décide de passer par les quais, histoire de flâner un peu, il apprécie la vue sur la tour Eiffel depuis la voie Georges Pompidou. Il traverse la Seine par pont Bir-Hakeim, il sent la vibration du métro aérien retransmise par les arches de métal. Une fois la Seine traversée, il tourne à gauche et à droite dans l'avenue de Suffren. Il avance lentement en regardant les numéros, puis se gare au niveau du 32. Il coupe le contact, enfin, il éteint sa voiture électrique et en sort sans même remarquer la Peugeot 308 garée à cinquante mètres. Sergeï se cache le visage pour ne pas être vu. Rudy se présente devant la porte du 32 ter. Pas d'interphone, il se recule un peu pour regarder la façade, quand soudain, la porte s'ouvre. Il se précipite pour en profiter et entrer dans l'immeuble, quand il s'aperçoit que ce n'est pas un immeuble, mais une sorte de cour intérieure. Il sort sa carte de police et demande à la personne qui sortait comment trouver

Mme Boyle. La personne lui indique la troisième maison sur la droite, Rudy la remercie et se dirige vers le petit portillon métallique de « la troisième maison ». Il observe la petite ruelle avec émerveillement et se dit que ce petit coin de paradis doit valoir son pesant d'or.

Rudy pousse le portillon qui donne sur un carré de jardin, la porte de la maison est entrouverte, il s'approche, l'ouvre un peu plus et appelle :

— Bonjour, il y a quelqu'un ?

Il n'obtient pas de réponse et répète sa question, mais toujours rien, il pose sa main sur son arme et entre.

— Il y a quelqu'un ?

À ce moment, il entend du bruit dans l'escalier et voit apparaître des pieds d'homme. La personne est équipée d'un casque pour écouter de la musique et d'un téléphone dans la main qu'il est en train de regarder attentivement.

L'homme d'une petite soixantaine d'années en jeans et polo Lacoste s'aperçoit de la présence de Rudy et sursaute en demandant :

— Mais qui êtes-vous ?

— Bonjour, désolé de vous avoir fait peur, mais j'ai appelé. Je suis le commandant Servat, je souhaite parler à madame Boyle !

— Bonjour commandant, je suis Robert Boyle, le mari d'Eva, dit-il avec un accent très américain. Ma femme est en haut, elle finit de se préparer, elle ne va pas tarder à descendre, mais c'est à quel sujet ?

Compte tenu des conditions de leur rencontre, Rudy se sent dans l'obligation de donner des explications à cet homme qui l'a surpris dans son salon.

— Rien de direct concernant votre femme, mais je recherche des témoins dans le cadre d'une enquête de police, et il est possible que votre femme connaisse une des victimes.

— Très bien, dit Robert, je vais la prévenir, dit-il en montant à l'étage.

Quelques minutes plus tard, Eva Boyle apparaît à son tour. Rudy reste ébahi devant la beauté de cette femme, qu'il voyait dans les magazines de mode posés sur la table de son salon à l'époque où il vivait avec la mère de Léna.

— Bonjour Madame Boyle, commandant Servat, je suis vraiment désolé de vous déranger, si vous me permettez, j'aimerais vous poser quelques questions.

— Bien sûr commandant, mais appelez-moi Eva.

Rudy sort une photo de sa poche et la montre à Eva.

— Connaissez-vous cet homme ?

Eva observe la photo.

— Oui, c'est une photo de Gabriel Declerc !

— Je peux vous demander dans quel cadre vous l'avez rencontré.

— J'ai couché avec !

Rudy, surpris par la réponse, regarde vers l'escalier, en direction de l'étage. Eva éclate de rire.

— Ne vous inquiétez pas, mon mari est au courant, nous sommes un couple libre.

À ce moment-là, Robert redescend de l'étage.

— Chéri, la police veut savoir si je connais cet homme, il s'appelait Gabriel, il a été un de mes rencards de FL.

— Quand vous dites FL, demande Rudy, vous parlez du First Lady ?

— Oui absolument, vous êtes membre ?

— Non, ce n'est pas dans mes bourses !

— Oh, et que s'est-il passé ? demande Robert.

— Il a été assassiné, répond Rudy.

— Oh my god… Quelle horreur !

Rudy prend son téléphone et ouvre l'onglet photo, il présente une photo de Natalia à Eva.

— Et cette femme, vous la connaissez ?

— Bien sûr, c'est Natalia, notre ancienne baby-sitter, comment va-t-elle ?

— Désolé, mais morte également !

Eva semble réellement abattue par la nouvelle et s'assied.

— Ce n'est pas possible, que s'est-il passé ?

— Nous menons une enquête pour le découvrir, Madame Boyle. Quand l'avez-vous vue pour la dernière fois ?

— Il doit y avoir un peu plus d'un an, mais je l'ai eue au téléphone il y a un mois environ, nous étions restées en contact.

— Vous a-t-elle parlé de quelque chose de précis, était-elle inquiète ?

— Non rien de spécial.

— Et vous Monsieur Boyle ?

— Non, contrairement à ma femme, je n'étais pas resté en contact avec Natalia, je suis rarement en France.

— Sans vouloir abuser, je peux vous montrer une autre photo ?

Rudy affiche une photo de Sergeï et la montre à Eva.

— Non, désolée, jamais vu, mais il est très moche… Il me fait peur !

— Effectivement, ce n'est pas une personne fréquentable. Natalia vous a-t-elle déjà parlé d'une amie, une certaine Victoria ?

— Non, jamais, mais vous savez, nous avions juste une relation de courtoisie, aucune complicité.

Rudy sélectionne une autre photo, celle des caméras de surveillance où on aperçoit Victoria.

— Regardez quand même, vous auriez pu la croiser.

— Oui effectivement… répond Eva, elle est venue à la vente Pasqua qui a eu lieu il y a deux jours.

— Pardon ? demande Rudy, vous avez rencontré cette femme ?

— Absolument commandant, mais il va falloir être ouvert d'esprit, car elle prétend être Gabriel Declerc !

— Effectivement, Madame Boyle, que voulez-vous dire par « être ouvert ».

Eva se dirige vers la bibliothèque, prend le livre d'Ernest Ryan sur les phénomènes walk-ins et le lui tend.

— Tenez commandant, lisez ce livre et vous comprendrez. L'âme de Gabriel a été transférée dans le corps de cette femme. Je sais que ce n'est pas facile à assimiler pour un novice, mais faites un petit effort et ouvrez-vous.

Rudy prend le livre et observe la jaquette en plissant les yeux.

— Merci, je vais le lire, mais avez-vous une idée de l'endroit où elle peut être ?

— Oui, je pense, normalement elle et son amie devraient être chez l'auteur de ce livre, en Irlande.

— Son amie ? Quelle amie ?

— Une certaine Leïla, si ma mémoire est bonne.

Rudy comprend immédiatement que l'analyse de Laura était encore une fois la bonne au sujet de Leïla. Elle lui avait menti le jour de sa visite chez elle, mais le pire c'est que Victoria devait être avec elle.

— Merci, Madame Boyle pour votre aide.

Il remercie également Robert Boyle qui a assisté à la scène sans réagir. Il quitte la maison en prenant son téléphone pour appeler Laura et tombe sur son répondeur.

— Allo ! Laura ? Tu avais raison, la piste d'Eva Boyle a été fructueuse. Pour Victoria, je sais où elle est, retrouve-moi au Bastion.

Arrivé rue du bastion, Rudy est appelé par Fabrice, un officier du service de surveillance vidéo.

— Bonjour commandant. Nous avons étendu les recherches concernant l'inconnue du parc Monceau. Nous avons des traces d'une silhouette lui correspondant rue de Lévis dans le 17e, elle disparaît au niveau du 22 rue de Lévis exactement, et ce n'est qu'à dix minutes à pied du parc Monceau, ça peut matcher !

— Effectivement, ça peut matcher comme vous dites, très bien, beau boulot, les gars, on va aller vérifier.

Rudy allume son ordinateur et va vérifier sur Wikipédia le nom de Ernest Ryan. Professeur en psychologie, auteur et conférencier. Il envoie le nom à Djibril en lui demandant de trouver les coordonnées du professeur. La porte s'ouvre et Laura apparaît dans le chambranle. Ses yeux sont vitreux, les cheveux en bataille, la chemise mal boutonnée. Rudy comprend immédiatement qu'elle est défoncée.

— Assieds-toi, Laura ! dit Rudy d'un ton autoritaire. Qu'est-ce que tu fous, tu veux foutre ta vie en l'air ? Tu penses que te défoncer va arranger les choses ? J'ai besoin de toi et en pleine forme, tu es ma coéquipière, je veux pouvoir compter sur toi le jour où je ne pourrai pas dégainer mon flingue. Tu es mon ombre, alors tu vas te ressaisir, sinon je demande ta mutation de mon service, ai-je été assez clair ?

Laura a les larmes qui lui montent aux yeux, elle se rapproche de Rudy et se blottit dans ses bras.

— Je suis vraiment désolée boss, mais ce devrait être l'anniversaire de mon frère aujourd'hui.

— Alors, honore-le comme il se doit, il serait fier de toi, j'en suis sûr, tu es une super flic, tu avais raison pour Leïla Abassi et pour Eva Boyle, elle connaissait Victoria. Je t'aime comme ma fille Laura, je souffre de te voir ainsi te détruire, fais un effort s'il te plaît, tu peux venir à la maison si tu as besoin.

— Merci boss, je sais que je peux compter sur toi, mais tu vis une belle histoire en ce moment et je ne veux pas que tu la gâches à cause de moi.

— Tu fais partie mon histoire Laura, Valérie le sait !

Laura tombe en sanglots et se blottit encore plus fort contre Rudy et susurre d'une voix d'enfant :

— Pardon Papa !

Rudy l'enlace et l'embrasse tendrement sur le front. Comme un père avec sa fille.

Laura se ressaisit et dit :

— Bon, tu me débriefes sur ta visite chez la bombasse.

— OK, assieds-toi ! alors, Eva Boyle…

Et Rudy lui raconte tout ce qu'il a appris lors de sa visite chez les Boyle et la découverte de la rue de Lévis.

— Il faut prévenir les postes-frontière des aéroports, on peut les choper à leur retour d'Irlande, dit Laura qui a repris du poil de la bête.

— Absolument, tu t'en occupes, moi je demande un mandat à Delerme pour une perquisition au 22 rue de Levis. On ira demain, je compte sur toi !

Rudy regarde Laura qui sourit timidement.

— Maintenant, rentre chez toi, va te reposer. Je te veux en forme demain, mon petit doigt me dit que ce ne sera pas une journée comme les autres !

— OK boss.

Rudy la regarde quitter son bureau, elle est de plus en plus fluette et fragile, il ne sait plus comment l'aider, chaque année à cette période, elle pète les plombs.

31
Un matin dans le comté de Kerry

Gaby sent le souffle répétitif, odorant et bruyant de Napoléon qui est assis à côté du lit. Dès qu'il a constaté le réveil de son invité, il se met à remuer la queue et à gémir, comme pour lui dire « aller debout ». Gaby tend la main et lui donne une caresse sur la tête, ce qui provoque chez Napoléon un besoin fou de vouloir lui lécher le visage, il le repousse avec affection. Il apprécie ce chien, mais moins son haleine. Le soleil traverse les volets avec une lumière blanche à peine regardable quand on a les yeux encore embués. Il entend des bruits de vaisselle au rez-de-chaussée. Ryan doit être en train de préparer le petit-déjeuner, Gaby décide de se lever, et de rejoindre leur hôte, il est précédé par le griffon qui descend les escaliers avec un bruit lourd.

Ernest Ryan est devant l'énorme gazinière en train d'agiter une poêle pour préparer des œufs brouillés.

— Bonjour Mademoiselle Gaby.

— Bonjour Ernest.

— Avez-vous bien dormi ?

— Très bien, je vous remercie.

— Désirez-vous un café ou un thé ?

— Un café, ça ira. Je peux vous poser une question, Professeur ?

— Bien sûr Gabriel.

— Comment faire pour que les gens m'acceptent, moi ou la nouvelle Gaby ?

— Les gens ne vous accepteront pas tels que vous êtes. Ils ne vous croiront pas et ce qui est normal. Vous allez devoir appliquer une méthode que je conseille dans un cas comme le vôtre, jouez l'amnésique. L'être lambda accepte plus la maladie que la folie, gardez pour vous votre transfert, ce sera plus simple.

— Merci pour le conseil Ernest.

Leïla arrive à son tour, en baillant et en se grattant la tête avec son élégance habituelle.

— Salut la compagnie !

— Et vous Mademoiselle Leïla, café ou thé ?

— Vous n'auriez pas plutôt un sky ? Non, je déconne, un thé.

Tout le monde s'installe sur la vieille table en bois pour savourer le petit-déjeuner. L'ambiance est plutôt calme, mis à part Napoléon qui s'agite en espérant que quelque chose tombe au sol pour l'attraper avec son énorme langue.

— Vous comptez partir vers quelle heure ? demande Ryan.

— Dès que nous serons prêts, répond Gaby.

— Vous voulez dire « prêtes », reprend Ryan ! Vous devez accepter ce que vous êtes désormais. Je ne plaisante pas, soyez en accord cette enveloppe, c'est un cadeau de votre sœur, pensez-vous qu'elle serait heureuse si vous négligez cet héritage ?

— Désolé, mais j'ai du mal à m'y faire, je suis un homme dans l'esprit et l'attitude.

— Moi je kiffe grave ce que tu es devenue ! dit Leïla la bouche pleine.

Ryan et Gaby éclatent de rire devant le comportement de Leïla qui mange ses œufs comme une enfant de cinq ans.

— Merci pour le déjeuner, je vais me changer, nous devons reprendre la route, dit Gaby qui se lève de table et remonte dans la chambre.

— Vous devez prendre soin d'elle, précise Ryan.

— Vous pouvez compter sur moi Ernest, je l'aime, mais surtout, Gaby l'ignore encore, j'ai un retard !

— Oh, vous pensez être enceinte ?

— Je ne pense pas professeur, je le sens, mais je ne sais pas comment lui dire !

— Hum, c'est une bonne raison pour Gaby de se battre, vous devez lui dire !

— Oui, mais pas pour l'instant. Je veux que Gaby se concentre sur l'acceptation de sa nouvelle vie. Il ne vous a pas tout dit, son décès n'est pas un accident, mais un meurtre, et la femme qu'il est aujourd'hui est recherchée par la police et un tueur. Alors chaque chose en son temps…

— Vous devriez appeler la police française !

— C'est prévu, mais Gaby voulait vous rencontrer avant.

Du bruit dans l'escalier annonce l'arrivée de Gaby, Leïla positionne son index sur ses lèvres, chuuuuut ! Ryan sourit en remuant la tête de haut en bas en signe d'abdication. Gaby traverse la pièce et prend sa veste accrochée, sur le portemanteau.

— Je vais faire un tour, je n'en ai pas pour longtemps.

— Tu es sûre ?

— Non, laissez-la ! dit Ryan, laissez-la faire.

— Je fais juste une balade vers les falaises, je reviens !

Gaby sort, suivi du chien. Sur le chemin qui conduit aux falaises, il commence à sentir une vibration dans les jambes, un bien-être l'enveloppe. Il a le sentiment qu'on lui parle, qu'on le guide. Une fois arrivé, il se déchausse et pose ses pieds sur le sol frais et humide. Il s'agenouille, et pose ses mains dans l'herbe. Il entend les battements de la terre, il sent l'air qui lui caresse le visage, tout est moins intense que la veille avec Ryan, mais il sent, il entend, et surtout il ressent.

— Je promets de m'occuper de toi… Ma sœur !

Gaby sourit et se relève, il reprend la direction de la maison blanche du professeur Ernest Ryan, en se disant que ce fut une belle rencontre. Napoléon est collé contre sa jambe, comme pour ne pas quitter sa nouvelle amie.

Gaby et Leïla remercient Ernest Ryan pour son accueil et son aide en promettant de revenir le voir dès que la situation sera devenue plus calme. Elles reprennent la route en direction de Cork, les jeunes femmes sont presque tristes de quitter James Bond et Napoléon.

Ryan décide de consulter ses mails, et c'est avec surprise qu'il découvre celui de Djibril Goumbé, de la police nationale française.

Bonjour, M. Ryan, dans le cadre d'une enquête de police, nous recherchons activement Mlle Abassi Leïla et Mlle Victoria qui se présente comme « Gabriel Declerc ». Selon Mme Eva Boyle, elles ont prévu de vous rendre visite, merci de nous contacter ou de leur demander de le faire de toute urgence, leurs vies sont en danger. Nous comptons sur votre bienveillance, vous trouverez mes coordonnées ci-dessous.

Ernest Ryan décide de répondre à ce policier français.

« Bonjour, Monsieur Goumbé, je suis désolé, mais les deux personnes dont vous parlez sont déjà reparties pour la France. »

Ryan valide le message et il programme l'envoi dans vingt-quatre heures. Il se lève, se dirige vers un vieux placard, ouvre la porte en bois, en sort un sac à dos contenant une tante canadienne, un duvet et une lampe à gaz. Napoléon l'observe en gémissant et remuant la queue si fort que tout son corps bouge. Ryan attrape une vieille tunique, une paire de sandalettes, un gros ceinturon en cuir et se change, l'apparence de l'homme se métamorphose. Il finit par ouvrir le tiroir du meuble près de la porte d'entrée et y récupère une serpette qu'il fixe à son ceinturon, il regarde le griffon qui est de plus en plus excité et dit :

— Allez viens, je dois faire le plein de l'herboristerie et nous avons deux jours de marche pour atteindre mon coin secret !

Il sort de la maison, ferme la porte et positionne la clé dans un petit pot de fleurs à proximité de la boîte aux lettres, il s'engage dans le chemin, suivi de près par le griffon.

Gaby reste silencieux dans la voiture, il a les traits du visage détendu. Il semble avoir chargé une énergie qui le rend serein, comme s'il avait trouvé une réponse à sa situation, une acceptation de sa nouvelle vie. Leïla l'observe et se dit que c'est peut-être le moment de lui annoncer son éventuelle grossesse.

— Que fait-on maintenant ? demande Leïla.

— On va directement voir William, il me doit des explications.

— OK, mais sois indulgent, derrière les secrets de familles, il y a toujours une raison.

— Je sais, mais de là à me cacher une sœur jumelle !

— Comment vas-tu lui expliquer qui tu es ?

— L'amnésie, le professeur Ryan m'a conseillé de faire l'amnésique.

— Ouais, pas con, et pour la police, que fait-on ?

— On va faire ce que Sofiane nous a dit, on appelle l'avocate. J'ignore encore pourquoi la police me recherche, enfin, recherche ma sœur. Peut-être que William saura me dire quelque chose à ce sujet. Il doit forcément tout connaître de ma sœur, où elle vit, ce qu'elle fait dans la vie, a-t-elle des amis, voire un mari, et peut-être des enfants, je dois obtenir des réponses.

Gaby se tortille sur son siège.

— Qu'est-ce que tu as ? demande Leïla.

— J'ai mal au ventre et au dos, c'est bizarre !

— Non ce n'est pas bizarre, bienvenue chez les femmes, tu vas avoir tes règles, arrête-toi à la prochaine station, je vais te donner ce qu'il te faut.

— Putain, je n'avais pas pensé à ça… Le retour va être long !

32
Furie de tueur

Pum. Pum Pum… Pumpumpum… Pumpum

Le bruit que font les gants en tapant sur le punching-ball retentit dans la petite salle de boxe que Sergeï a réservée pour sa séance d'entraînement. Il est en colère d'avoir raté les deux femmes la dernière fois, maintenant elles savent qu'il est à leurs trousses et elles vont se méfier. Il a besoin de se défouler pour retrouver son calme et son sang-froid légendaire. Comment ont-elles pu disparaître ainsi, comment a-t-il perdu leurs traces ? Il est hanté par l'échec, c'est un mot qu'il ne peut entendre, surtout de sa propre bouche, il a échoué, lui, Sergeï Kenko. PUM, PUM, PUM, il tape de plus en plus fort, tant pis pour la douleur qu'il ressent à chaque frappe. Il faut libérer cette colère et redevenir efficace pour retrouver les deux femmes ainsi que cette clé USB. Ce n'est plus une histoire de contrat, ce n'est plus la pression mise par le donneur d'ordre qui le motive, mais son orgueil. Quelque chose lui échappe dans cette mission, un facteur inconnu qui casse le fil conducteur de son enquête, un phénomène étrange, qui est cette femme, à qui Natalia a-t-elle donné cette clé USB si compromettante, qui est-elle ?

Sergeï tape et tape sur le boudin d'entraînement quand il entend la sonnerie de son téléphone qui signale l'arrivée d'un message sur l'application codée, il entre l'identifiant et le mot de passe, le message s'affiche.

« Vous êtes identifié par la police, le commandant Servat est à vos trousses, il sait où est la femme, vous avez échoué, le contrat est rompu ! »

— НЕТ ! (Non, en russe)

Sergeï utilise le traducteur pour répondre au message.

« Allez faire foutre vous, on ne coupe pas contrat avec Sergeï, moi finir travail et vous payez. »

Fou de rage, il prend un étui dans son sac de sport, en sort son sabre et lacère littéralement le punching-ball.

33
Mobile Home

Rudy est devant la fenêtre de son bureau, il observe la tour Pleyel dont les travaux de rajeunissement avancent à grands pas. Elle commence à être revêtue d'une robe argentée qui cache ses énormes poutres métalliques de couleur rouille. Il a passé une bonne partie de la nuit à lire le livre d'Ernest Ryan que lui a confié Eva Boyle. Il reste dubitatif sur cette théorie du transfert de l'âme, pourtant il a apprécié cette lecture. Il appelle pour la cinquième fois le portable de Laura qui ne répond pas, il décide de lui laisser un message.

— Putain Laura il est plus de neuf heures, je t'attends pour aller rue de Lévis, j'ai le mandat de Delerme, alors magne-toi le cul !

À ce moment il entend la porte de son bureau s'ouvrir, Richard apparaît, les traits tirés et le visage fermé, il ne semble pas serein.

— Bonjour, Rudy, je peux te parler ?

— Bien sûr, Richard, entre.

— Tu peux ajouter un cadavre à ton dossier, Savato s'est pendu hier soir. Il a laissé un mot dans lequel il explique qu'il ne supportait plus de voir sa vie tomber en morceaux et que la pression policière l'avait poussé à bout, etc., etc. Dis-moi que tu as de bonnes nouvelles à m'annoncer !

— On a peut-être localisé l'appartement de l'inconnue du parc Monceau, j'attends Laura pour y aller. Nous surveillons les frontières en provenance d'Irlande, Leïla Abassi et la femme y seraient allées pour rencontrer un professeur en sciences druidiques. Nous avons reçu un appel de la gendarmerie montée de L'Isle-Adam. Un des officiers aurait aperçu un homme en train de faire son jogging sur les bords de l'Oise, dont l'allure pourrait correspondre à Kenko. Il s'en est souvenu quand il a vu l'avis de recherche diffusé en interne. J'ai envoyé Hakim et Fred sur place pour faire une enquête de voisinage.

Richard dépose sur le bureau de Rudy un holster avec son Sig-Sauer à l'intérieur.

— Pourquoi tu me donnes ce flingue ?

— C'est celui de Laura. Elle l'a oublié hier soir dans un pub, elle était complètement faite. Le patron l'a déposée au commissariat ce matin, je vais devoir la mettre à pied Rudy, je sais qu'elle est ta protégée, mais là, elle dépasse les bornes.

Rudy s'assoit dans son fauteuil.

— Je comprends Richard, mais, laisse-lui une dernière chance, je vais…

— Non Rudy, tu me dis ça depuis trop longtemps. Cette fois je dois agir, Laura devient un danger pour elle et pour les autres. Alors tu la préviens, je veux la voir chez le RH au plus tard cet après-midi, et je veux qu'elle prenne rendez-vous avec notre cellule psychologique de toute urgence.

Richard n'attend pas que Rudy répondre et quitte la pièce.

« Putain, fais chier », se dit Rudy en tapant sur son bureau. Il essaye une dernière fois de la joindre, mais en vain !

Le signal du double appel retentit, il décroche.

— Ouais patron, c'est Hakim, nous sommes à L'Isle-Adam. Notre gus a séjourné au camping des sources, il a loué un mobile home, on l'a raté de peu, il est reparti hier. Le patron du camping ne peut pas dire grand-chose du gars, il l'a à peine vu. La location s'est faite directement via Airbnb, il roule au volant d'une 308 grise, sûrement de location. J'ai appelé la scientifique pour inspecter le mobile home, mais si c'est comme à porte de la Chapelle, j'ai peu d'espoir.

— OK les gars, beau boulot, vous rentrez au bureau et faites un point avec la PAF[6] pour les retours d'Irlande, moi je vais rue de Lévis vérifier la piste des services vidéo.

— OK patron.

Rudy prend son arme dans le tiroir de son bureau et y place celle de Laura, il enfile sa veste quand son téléphone fixe sonne.

— Allo ?

— Bonjour commandant, un appel pour vous, maître Vanderbeck.

— Vanderberck, je ne connais pas, passez-le-moi.

— Très bien, mais c'est maître… Francine Vanderberck.

— OK ! passez-la-moi !

— Allo, bonjour commandant Servat ?

— Oui, que puis-je pour vous, maître ?

— Je représente Madame Abassi et son amie Victoria. Elles m'ont demandé de vous contacter pour vous informer qu'elles ne sont pas de fugitives, elles seront bientôt en mesure de vous rencontrer et qu'elles n'ont strictement rien à se reprocher.

— Très bien maître, mais où sont-elles actuellement ?

— Je l'ignore, commandant !

— Bien sûr, quelle question !

— Vous devez les prévenir qu'un tueur à gages est à leurs trousses, et que l'endroit où elles seront le plus en sécurité est chez nous.

---

[6] Police aux frontières

— Très bien commandant, je vais leur en faire part, en attendant, veuillez passer par moi et merci de stopper vos recherches les concernant.

— Vous ne comprenez pas, elles vont se faire tuer, le gars qui les recherche est un vrai professionnel, pas un rigolo !

— Et vous ? Vous n'êtes pas un professionnel ? Votre boulot est de protéger les citoyens. Alors, arrêtez cette personne au lieu de vous acharner sur mes clientes !

— Maître, écoutez-moi, nous avons déjà quatre victimes dans ce dossier, nous n'avons rien à reprocher à vos clientes, mais nous devons interroger Victoria, elle a vu ou entendu quelque chose qui fait d'elle une cible du tueur, elle doit venir ici de toute urgence.

— OK commandant, je lui en parlerai quand elle me contactera, vous pouvez compter sur moi, mais je dois vous informer que mademoiselle Victoria souffre de troubles de la mémoire. Je vous recontacterai, au revoir commandant.

Elle raccroche, Rudy, fou de rage, fait valser les dossiers posés sur son bureau.

— JOURNÉE DE MERDE !

34
John Senders

Le docteur Verdier finit ses consultations et rejoint son bureau situé au rez-de-chaussée du service des urgences de l'hôpital Ambroise-Paré. La nuit de garde a été difficile, très difficile. Le manque de personnel perturbe le service des soins où tout doit aller vite, le docteur Alain Verdier commence à sentir ses soixante ans. Pourtant la volonté est toujours présente, mais le physique a du mal à suivre ces gardes de plus en plus longues et de plus en plus dures. Il se souvient de la première vague de Covid, toutes ces personnes âgées qui arrivaient en détresse respiratoire, le manque de lits en réanimation, et le choix… faire le choix de quels patients on envoie en réa ou pas. Comme un droit sur la vie ou la mort. Cette période, Alain Verdier ne l'a toujours pas digérée. Il imagine les médecins militaires sur les terrains d'opération, comme ils disent pour ne plus utiliser le mot « champs de bataille ». Les soldats qui arrivent sur des brancards dans des états qu'il n'ose même pas imaginer, et le toubib qui sélectionne celui qu'il va essayer de réparer et celui qu'il va soulager en attendant la mort. Faire le choix de sauver une vie au détriment d'une autre. Il lui reste une heure pour faire ses comptes rendus et rentrer chez lui, prendre un bon bain et se reposer. Si le temps le permet, il ira peut-être taper quelques balles au tennis club de Roland-Garros.

Quand il arrive devant son bureau, un homme est là, il semble l'attendre. L'homme est grand, fin, costume sombre, petites lunettes rondes. Il l'aperçoit et lui sourit, pas un sourire franc, juste un sourire courtois.

— Docteur Verdier ? dit-il avec un fort accent américain.

— Oui c'est moi, que puis-je pour vous ?

L'homme sort une carte et la lui présente.

— Bonjour Docteur, je me présente, je suis John Senders, de l'ambassade américaine à Paris, service de l'immigration, nous sommes à la recherche de Victoria Miller, qui a disparu.

Il sort une photo de sa poche et lui présente.

— Connaissez-vous cette personne ?

— Oui, répond Verdier, c'est l'inconnue du parc Monceau !

— C'est une citoyenne américaine, elle a disparu, nous la recherchons, pouvez-vous me dire ce qui s'est passé ?

— Elle est arrivée en urgence en état de mort cérébrale. Aucun papier sur elle, nous l'avons placée en réanimation en attendant une identification, et je n'ai toujours aucune explication, mais elle s'est réveillée au bout de deux semaines.

— Savez-vous où elle se trouve aujourd'hui ?

— Non, elle a disparu, mais vous devriez contacter la police française, il me semble que c'est le commandant Servat qu'il faut appeler.

Senders note sur un petit calepin.

— Quand elle s'est réveillée, que vous a-t-elle dit ?

— Pas grand-chose, elle souffrait d'un trouble de l'identité. Elle prétendait être un homme, c'était très étrange, elle était vraiment catégorique sur son identité. Mais vous me dites qu'elle était américaine, pourtant elle n'avait aucun accent !

— Elle était parfaitement bilingue. Un homme ? Vous vous souvenez du nom qu'elle a donné ?

— Non, mais je peux vous le communiquer dans une minute, je l'ai noté dans son dossier.

Verdier entre dans son bureau et ouvre son armoire à classeurs, il cherche dans la section « INCONNUS » et prend le dossier « Inconnue parc Monceau ».

— Alors, le nom qu'elle a donné est... Gabriel Declerc.

— Merci, donc selon vous elle a une perte de la mémoire ?

— C'est déjà un miracle qu'elle soit en vie. J'ai encore ses électroencéphalogrammes, ils étaient plats comme la Belgique. Elle reste un mystère pour la médecine, alors une amnésie totale ne serait pas surprenante, ainsi que l'invention d'une identité, par contre le changement de genre est très surprenant.

— Vous voulez dire prétendre être un homme ?

Verdier remarque une bosse au niveau du veston de son interlocuteur, il devine alors la présence d'une arme de poing.

— Oui, je n'ai jamais rencontré ce cas. Mais, que faites-vous exactement à l'ambassade ?

— Je vous l'ai dit, je suis au service de l'immigration, je m'occupe de nos compatriotes qui disparaissent !

— Et il vous faut une arme pour faire ce job ?

— Je vois que vous êtes observateur, Docteur. Mais vous savez, notre pays est le plus menacé au monde, alors nous sommes autorisés à porter une arme par les autorités françaises quand nous quittons l'enceinte de l'ambassade. Mais j'ai assez abusé de votre temps, je vous remercie pour votre aide. Ah, une dernière question, quand vous dites qu'elle est partie, elle est partie seule ? Elle a pu sortir de l'hôpital sans souci ?

— Ce n'est pas une prison ici, Monsieur Senders, nos patients ne sont pas attachés à leur lit !

— Bien sûr, je comprends Docteur, je vous laisse ma carte de visite, si vous avez des nouvelles, appelez-moi, vous savez, nous n'aimons pas perdre un citoyen américain sur un autre territoire.

L'homme salue le docteur Verdier et s'éloigne, il le regarde disparaître au bout du couloir. Alain Verdier trouve cette visite étrange et malsaine, il décide d'appeler Servat pour l'en informer et lui communiquer le nom de l'inconnue du parc Monceau. Il sort la carte de visite de Rudy et compose son numéro.

— Allo ?

— Bonjour commandant Servat. Je suis le docteur Verdier de l'hôpital Ambroise-Paré, j'ai eu une visite d'une personne de l'ambassade américaine, du service de l'immigration, monsieur John Senders, il recherche notre inconnue du parc Monceau. Il dit qu'elle est américaine, qu'elle s'appelle Victoria Miller et qu'elle est portée disparue, mais de vous à moi, il me semble bizarre et il est armé.

— Très bien Docteur, vous avez bien fait de m'appeler, je vous remercie.

35
Le goût du sang

Rudy raccroche avec Verdier et appelle Djibril.

— Allo Djibril ? Recherche tout ce que tu peux trouver sur Victoria Miller et John Senders, origine américaine. Senders serait rattaché à l'ambassade des États-Unis à Paris, et Victoria Miller serait notre inconnue du parc Monceau. Moi je vais rue de Lévis, si tu vois Laura, tu lui dis de me rejoindre et qu'elle évite de croiser le commissaire.

Rudy prend sa veste et quitte son bureau, il récupère sa voiture dans le parking et quitte la rue du Bastion. La rue de Lévis est une petite rue commerçante et piétonne du 17e arrondissement. Les gens du quartier peuvent y faire leur marché tous les jours de la semaine, la rue a la réputation d'être un petit village au cœur de l'arrondissement.

Arrivé sur place, Rudy se gare sur boulevard des Batignolles à proximité de la rue de Lévis. Il sort et part à pied vers le numéro 22. En l'absence de concierge, il reste devant la porte à code à attendre qu'une personne sorte ou entre de l'immeuble, ce qui se produit au bout de quelques minutes. Il croise une femme et ses deux enfants, il lui présente sa carte de police et lui montre la photo floue de Victoria.

— Bonjour, Madame, police, connaissez-vous cette femme ?

La femme s'applique et lui répond qu'elle ressemble à celle qui habite au deuxième étage porte gauche, mais qu'elle n'en est pas sûre. Rudy la remercie et se dirige vers les boîtes aux lettres. Une seule déborde de publicité, il s'en approche et regarde le nom qui s'y trouve « Victoria Miller ». Bingo se dit-il, il emprunte l'escalier et monte au deuxième étage, pendant ce temps il essaye d'appeler Laura, toujours aucune sonnerie, directement sur la messagerie. Une fois devant la porte, il sonne, se présente « POLICE », mais aucune réponse. Il tape fort et réitère sa présentation « POLICE, OUVREZ ». Rien aucun mouvement, il sort de sa poche une petite trousse dans laquelle se trouve une sorte de couteau suisse, l'outil idéal pour crocheter une serrure. La porte ne résiste pas longtemps et s'ouvre, Rudy prend son Sig-Sauer et entre doucement, « POLICE ! Y A QUELQU'UN ? », toujours aucun mouvement, il avance en remettant son arme dans le holster. L'appartement est un trois-pièces correctement rangé, une décoration succincte, pas de photos au mur, on dirait un logement de passage. Ça lui fait penser aux meublés qu'il loue quand il part en vacances dans le sud de la France. Il va dans la cuisine et ouvre le frigidaire, il est quasiment vide, juste une salade flétrie, des œufs et des yaourts. Un vrai frigo de gonzesse, se dit Rudy. Il observe dans le salon, ouvre les placards et tiroirs, rien, juste de la vaisselle et des papiers. Il entre dans la salle de bains, des produits de beauté, brosse à cheveux, une seule brosse à dents, et une trousse de maquillage. Il continue sa visite dans la chambre, un lit, une armoire, et une commode. Il ouvre, et fouille, rien de bizarre, juste des fringues, jeans, tee-shirts, sous-vêtements. Pourtant quelque chose le choque, pas de PC ou de claviers, de nos jours, il y a toujours du matériel informatique qui traîne dans un appartement. Il continue son investigation, quand soudain, il aperçoit un câble RJ45 qui part de la prise murale vers le buffet où se trouve la vaisselle. Il observe, ouvre la porte, pas d'ordinateur, il se positionne sur le côté du meuble et constate qu'il est plus profond qu'il ne paraît. Il enlève les assiettes et les verres, tapote sur le fond, et aperçoit un petit loquet. Il tire dessus et le fond du meuble bascule vers lui laissant apparaître, un ordinateur portable, un téléphone, un Glock 22 et une enveloppe en papier kraft. Il l'ouvre, et en sort des photos. Il les étale sur la table, ce sont des photos de Natalia, on la voit entrer et sortir d'immeubles parisiens. On peut la voir également au supermarché, enfin, de vraies photos de filature. Il tourne le paquet et c'est maintenant Gabriel Declerc qui était dans l'œil de l'objectif. Rudy essaye de comprendre, il aperçoit une autre enveloppe, cette fois elle est plus épaisse, il la saisit et la vide d'un geste sur la table. Son regard se fige de stupéfaction, il y a des passeports et une plaque de police, mais pas n'importe laquelle, et surtout une photo sur laquelle il reconnaît parfaitement l'homme qui s'y trouve. Rudy comprend immédiatement le rôle de cet homme, c'est le donneur d'ordre, le commanditaire. Tout devient plus limpide, et Victoria n'est pas du tout ce qu'ils imaginaient ! Il constate qu'il reste un objet dans l'enveloppe, il introduit sa main et en sort une clé USB. Son téléphone se met à vibrer, c'est Djibril, il décroche.

— Allo patron ? C'est moi. C'est un truc de ouf, impossible de choper quoi que ce soit sur Miller ou Senders, rien, je me heurte à des murs. Aucune possibilité de craquer les données, ils sont protégés comme Poutine, je suis désolé patron, mais là, ça dépasse mes compétences.

— Non Djibril, tu as bien bossé. Je sais maintenant qui est vraiment Victoria Muller. Je rentre au bureau, en attendant, appelle la scientifique qu'ils viennent passer cet endroit au peigne fin. Vois si Manu est disponible pour cette opération, moi j'embarque déjà ce que j'ai trouvé.

— OK patron.

Rudy range tout dans les enveloppes et se prépare à quitter l'appartement. Il emprunte le couloir quand il sent encore son téléphone vibrer, il fouille dans sa poche pour regarder qui l'appelle tout en ouvrant la porte de sortie. Il constate que c'est Laura. Il va pour décrocher et lui passer le plus gros savon de sa vie, quand il redresse la tête, il se trouve face à face avec Sergeï. Il lâche le téléphone pour dégainer son arme, mais trop tard. Il sent la lame du sabre lui traverser le corps, il n'arrive même pas à hurler tellement la douleur est intense. Il est maintenu debout par la force du tueur qui le regarde sans même froncer les yeux. Il perd toutes ses forces et ses jambes deviennent si molles que quand Sergeï extrait doucement son sabre, Rudy s'effondre et bascule sur le côté. Le sang remonte dans sa gorge par petite vague, c'est le goût du sang. Il entend les battements de son cœur ralentir, il n'arrive plus à maintenir sa tête et la pose sur sol, juste à côté de son téléphone. L'écran s'allume, un SMS est arrivé, il regarde « Bonjour, Papa, nous venons d'atterrir. »

36
L'amant d'une nuit

Laura ouvre les yeux. Sa bouche est pâteuse, elle est nauséeuse, elle observe le plafond et ne le reconnaît pas. Elle entend ronfler à côté d'elle, elle tourne la tête et constate qu'elle est dans le lit d'un homme. Elle n'a aucun souvenir de ce qui s'est passé après avoir picolé au pub, elle se lève avec difficulté et cherche son téléphone.

— Putain, il est onze heures, elle constate également que Rudy a essayé de la joindre une bonne dizaine de fois, « PUTAIN FAIT CHIER ! »

À ce moment l'homme se réveille et émerge doucement.

— Bonjour toi, dit-il.

— Toi, ta gueule et fais pas chier !

Elle cherche ses fringues et son blouson, mais surtout elle ne trouve pas son arme de service.

— Putain de merde, elle est où ?

— Qu'est-ce que tu cherches ?

— Mon flingue connard !

— Je ne me souviens pas que tu l'as pris hier soir après ta démonstration.

— Quelle démonstration ?

— Au pub, tu nous as montré les différentes façons de dégainer, on a bien ri, tu étais au top.

Laura percute alors qu'elle a tout simplement oublié son arme au pub. Elle sait que c'est sûrement la mise à pied qui l'attend si le commissaire le découvre. Elle prend son téléphone et écoute le message de Rudy, elle saute dans ses fringues et quitte l'inconnu sans même lui jeter un regard.

— Au revoir beauté et merci pour la nuit, tu sais j'en ai rencontré de la chaudasse, mais toi, y a du level !

Laura s'arrête, se retourne en souriant et se rapproche de lui. Il la regarde et se redresse en tendant sa bouche. Laura lui envoie un uppercut dans le nez qui explose littéralement. Le son des os qui cassent résonne comme le bruit d'une Cracotte et le sang gicle jusque sur les rideaux. L'homme hurle de douleur avant de perdre connaissance, Laura renifle un grand coup et crache une énorme glaire sur l'homme.

— Prends ça enculé, ça t'apprendra à profiter d'une femme bourrée !

Elle quitte l'appartement et court dans la rue en appuyant sur sa clé de voiture pour la faire biper et la retrouver au plus vite. Enfin une réponse sonore et elle aperçoit sa Peugeot 308. Elle s'installe au volant, elle se rend compte que sa main est en sang. Elle a un bout d'os du nez de son amant d'un soir planté dans la phalange. Elle l'enlève, jette le morceau par la fenêtre et démarre en trombe en s'insultant de tous les noms. Une fois sortie de sa place de parking, elle lance un rappel pour Rudy, mais pas de réponse. Elle hésite, passer avant au pub et récupérer son arme, ou aller directement rue de Lévis rejoindre son boss, elle regarde l'heure, 11 h 15, elle décide d'aller directement rue de Lévis.

Quand elle arrive boulevard des Batignolles, elle repère tout de suite la voiture de Rudy. Elle se gare à l'arrache et descend son pare-soleil avec le panneau police pour ne pas se faire enlever sa caisse par la voirie. Elle court vers la rue de Lévis, à peine engagée, elle aperçoit les gyrophares et des voitures de police qui ferment la voie. Elle sort sa carte et la montre sans même s'arrêter à l'officier qui régule la circulation. En s'approchant, elle voit l'ambulance garée devant l'immeuble du 22, elle ralentit le pas quand elle aperçoit Richard en train de faire les cent pas avec son téléphone l'oreille. Elle approche de la porte du hall, quand deux ambulanciers sortent avec une civière, un corps recouvert d'un drap, seules les chaussures dépassent, des mocassins en daim marron.

Richard est interpellé par des cris, ceux de Laura qu'il retrouve à genoux sur le trottoir, la tête entre ses mains. Furieux, il raccroche et la rejoint.

— Putain, tu étais où ? Depuis quand on laisse son coéquipier aller seul sur une perquise. Je veux te voir dans mon bureau de toute urgence, et tu récupères ton arme en passant dans le bureau de Rudy. Tu me la déposes avec ta plaque, tu es mise à pied.

Laura est effondrée par la mort de Rudy. Elle pense à Léna et à Valérie, elle sent la colère monter contre elle. Elle s'en veut tellement de ne pas avoir assuré, si elle avait été là, Rudy n'aurait pas été tué. Elle se relève et…

— Commissaire ?

Richard se retourne, son visage est rouge de colère.

— Laissez-moi l'enquête, je veux retrouver ce fumier et lui faire la peau, par pitié, laissez-moi cette putain d'enquête !

— Dans mon bureau et magne-toi le cul !

Richard tourne les talons et s'en va en remuant la tête de droite à gauche. Laura entre dans l'immeuble et monte au deuxième étage, elle est accueillie par Manu qui lui jette un regard froid.

— T'as une sale gueule, qu'est-ce que tu fous là ?

— J't'emmerde, c'est mon enquête je te rappelle !

— Ce n'est pas ce que m'a dit le commissaire. Il ne veut pas te voir sur la scène du crime !

— Ne fais pas chier Manu, dis-moi ce que tu as !

— C'est le même tueur que les autres, Rudy a été transpercé par un sabre, juste ici, sur le pas de la porte, il a dû tomber sur le tueur en sortant.

Laura aperçoit son téléphone qui baigne dans le sang, mais elle voit quand même le message de Léna sur l'écran, les larmes lui montent aux yeux.

— Quoi d'autre ?

— Rien, Rudy a eu Djibril juste avant et lui a dit qu'il savait qui était Victoria, que tout était limpide pour lui.

— Tu n'as rien retrouvé ?

— Que dalle, le tueur a dû partir avec ce que Rudy avait trouvé dans l'appartement.

— OK Manu, je rentre au bureau, le commissaire m'attend pour me passer à la boîte à secousses. Je vais être mise à pied, mais si tu as quelque chose, je t'en prie, passe-moi les infos !

Manu acquiesce en remuant la tête. Laura amorce la descente des escaliers quand Manu l'interpelle.

— Laura ? S'il te plaît, chope-le !

— Tu peux compter sur moi, avec ou sans ma carte de flic, je flinguerai le responsable !

37
Cadillac Canada

Sur les conseils de Sofiane qui les a informées que leur signalement avait été diffusé aux aéroports français, Gaby et Leïla ont voyagé séparément dans l'avion qui les a ramenées à Amsterdam. Leïla porte un hijab et Gaby, un bonnet et un masque chirurgical. Aucun contrôle au passage des douanes, elles traversent l'aéroport à quelques mètres de distance. C'est fou quand on est recherché, tout le monde paraît suspect. Gaby regarde partout, chaque homme avec une pancarte, ou qui porte des lunettes de soleil, chaque visage inconnu devient douteux, chaque regard est appuyant, pourtant c'est sans difficulté qu'elles rejoignent le parking pour récupérer la voiture. Gaby la déverrouille, jette les sacs dans le coffre, se positionne au volant, tape le code 2436# et met le contact. Il regarde Leïla avec son hijab, c'est la première fois qu'il la voit avec un signe religieux musulman, et à sa grande surprise, il découvre encore une facette d'elle. Son visage est encore plus mis en valeur, ses yeux noirs explosent de rayonnement, sa bouche est encore plus pulpeuse, ses pommettes prennent du volume. Elle est tout simplement belle, il s'approche et l'embrasse avec tendresse et amour.

— Et maintenant, on fait quoi ? demande Leïla.

— On va chez oncle Will !

— Et après ?

Leïla montre des signes d'inquiétude, elle se demande comment sortir de cette situation, la peur et le doute commencent à l'envahir, Gaby réfléchit à la rassurer.

— Dès qu'on a vu Will, j'appelle la police. L'avocate a dû déjà entrer en contact avec ce flic, le commandant Servat, Sofiane dit que c'est un type bien, et puis les flics ont peut-être chopé le gars qui nous cherche !

Gaby passe la marche arrière et quitte l'emplacement pour se diriger vers la sortie. Sa paranoïa lui fait remarquer une berline noire aux vitres teintées qui sort en même temps d'un emplacement, et se dirige également vers la barrière de sortie.

— Qu'est-ce que tu regardes comme ça ? demande Leïla.

— Rien, j'ai l'impression de devenir fou et d'être suivi tout le temps !

Gaby prend l'autoroute A4 en direction de La Haye, Rotterdam, puis la Belgique, Anvers, Gand, direction Lille. C'est sur la E17 que Gaby revoit la berline noire. Le doute revient en force, c'est peut-être une coïncidence, mais il préfère s'assurer que ce n'est que son imagination et sort de l'autoroute en direction du centre-ville de Gand. La berline met son clignotant, et sort également, il prend à droite, puis à gauche, puis à droite, la berline est toujours derrière. Leïla, comme à son habitude, roupille à côté. Gaby voit un panneau indiquant un parking souterrain, il positionne le sélecteur de puissance en mode « sport » et attend le passage au vert du feu de signalisation. La berline est juste derrière, les vitres teintées laissent apparaître deux silhouettes d'hommes dans la Cadillac Canada. Gaby positionne le levier sur Drive et se prépare à accélérer. Le feu passe au vert, Gaby appuie sur l'accélérateur qui propulse le bolide à plus de 100 kilomètres-heure en cinq secondes laissant derrière la lourde berline qui fait fumer ses pneus pour essayer de le suivre. Plus aucun doute, les deux hommes les suivent.

Leïla se réveille en panique, il s'engage dans l'avenue indiquant l'accès au parking du centre-ville, la berline est loin derrière. Gaby slalome entre les voitures se faisant klaxonner par les chauffeurs hollandais. Il aperçoit l'entrée du parking plus loin à droite, il s'engage dans la contre-allée pour accéder au parking souterrain. Il prend un ticket et entre en trombe dans le sous-sol, trouve une place à l'abri des regards et change la couleur de la voiture ainsi que la plaque d'immatriculation. Merci, Sofiane, pour tes astuces de dissimulations. Gaby attend une heure avant de remettre le contact et pour sortir du parking. Son rythme cardiaque est au plus rapide, il transpire, Leïla regarde partout, devant, derrière, sur les côtés, sa tête s'active comme celle d'un moineau. Gaby arrive devant la barrière, insère le ticket, puis les pièces de monnaie, la barrière s'actionne et il sort doucement. Il s'engage sur l'avenue en se glissant dans le flux de voitures, c'est à cinq cents mètres de là qu'il aperçoit la Cadillac garée sur le côté. Un homme se tient debout devant le capot, un téléphone à l'oreille. Il est de grande taille et forte corpulence, costume noir, aucun doute pour Gaby, c'est un Américain, mais putain, c'est quoi encore, des Américains maintenant. Mais quand ça va s'arrêter ? Gaby reprend l'autoroute, direction Lille, il regarde Leïla et voit la terreur dans les yeux de sa compagne.

38
Drôles de méthodes

Laura passe par le bureau de Rudy pour récupérer son arme dans le tiroir du meuble, puis se dirige vers l'ascenseur pour se rendre au septième étage, l'étage du bureau du commissaire Vernon. Quand elle arrive sur le palier, Djibril est là, il attend également l'ascenseur, Laura lui saute directement dessus.

— Djibril, c'est toi qui as eu Rudy le dernier, que t'a-t-il dit ?

— TROUVE LAURA ! Putain, tu étais où ?

— Ne fais pas chier, j'en prends assez comme ça plein la gueule, alors tu ne vas pas t'y mettre aussi, laisse-moi trouver ce fumier et après tu pourras me défoncer la tronche, je t'écoute ?

— Il m'a dit qu'il savait qui était Victoria Miller, et qu'il revenait au bureau avec des éléments intéressants !

Le gling de l'ascenseur retentit et les deux collègues y pénètrent. Le climat entre eux est tendu. La mort de Rudy affecte énormément Djibril, il avait beaucoup de respect pour cet homme qui lui a donné la chance de trouver sa place au sein de la police. Ce n'est pas si simple d'être accepté quand on est un geek informatique d'origine africaine. Pourtant, le commandant Servat a pris Djibril sous sa coupe et lui a mis à disposition tout le matériel nécessaire pour qu'il puisse exploiter ses talents de cyberenquêteur. Aujourd'hui, il est respecté par tout le service de la criminelle.

— Tu vas où ? demande Laura.

— Chez Vernon, il m'a convoqué, et toi ?

— Chez Vernon également, je dois lui déposer mon arme et ma plaque !

— Désolé pour toi.

— Ce n'est pas parce que je suis mise à pied que je lâche l'affaire. C'est à moi de retrouver l'ordure qui a tué ou fait tuer Rudy, alors, je t'en prie Djibril, ne me laisse pas tomber, file-moi les infos que tu auras !

— OK Laura, mais fais gaffe à toi.

— Promis, dit Laura en déposant une bise sur la joue de Djibril.

— Sérieusement Laura, tu pues !

Arrivés devant la porte du bureau de Vernon, Laura et Djibril constatent la présence d'un homme assis sur la chaise, quand Richard Vernon les aperçoit, il leur fait signe de la main d'entrer.

— Je vous présente l'agent John Senders de la CIA il est rattaché à l'ambassade des États-Unis à Paris. Il est ici pour retrouver l'inconnue du parc Monceau qui est en vérité l'agent Victoria Miller.

— OK, je comprends mieux maintenant pourquoi je n'ai pas pu entrer dans la base des données ! chuchote Djibril.

L'agent Senders se lève et vient saluer les deux inspecteurs, il s'adresse à eux en français, mais avec un fort accent américain.

— Je suis ravi de vous rencontrer. C'est donc vous, Monsieur Goumbé, nous avons eu du mal à vous bloquer quand vous vous êtes renseigné sur mon identité, vous êtes très fort comme hacker, si un jour vous voulez changer de nationalité, dites-le-moi ! Nous recherchons activement notre agent Victoria Miller. Nous avons appris que vous la recherchiez également. Le médecin de l'hôpital Ambroise-Paré m'a confirmé qu'elle souffrait de perte de mémoire, je pense que si nous réunissons nos forces, ça facilitera la tâche, qu'en pensez-vous ?

— Pourquoi vous ne l'avez pas recherchée plus tôt ? Pourquoi que maintenant ? demande Richard.

— Victoria Miller est un agent entraîné pour les opérations en infiltration. Le seul contact que nous avons est un rendez-vous dans un endroit discret une fois par mois. C'était il y a trois jours, mais elle n'est pas venue !

— Quelle était sa mission en France ? demande Laura avec arrogance.

— Bridault, fermez-la ! dit Richard en haussant la voix.

Senders jette un regard interrogateur à Richard qui lui fait signe de la tête pour valider sa demande.

— L'agent Miller enquêtait sur un trafic de secrets industriels et militaires. Nous soupçonnons une agence de rencontre d'être l'organisation à l'origine du trafic. Une agence des Bahamas du nom de First Lady. Cette agence implante des taupes dans ses membres qui profitent des rencontres pour dérober des informations afin de les revendre aux plus offrants, comme l'Iran, la Russie ou encore la Corée du Nord. Miller avait réussi à soudoyer une de ces personnes agissant pour le compte de l'agence. Une certaine Natalia Ivanenko. Grâce à Natalia, l'agent Miller a pu découvrir qui est le chef de cette organisation criminelle et elle disposait des preuves.

— Elle ne vous les a pas remises ? demande Laura.

— Non, comme je vous l'ai dit, elle n'est pas venue au rendez-vous.

— Quel type d'éléments ?

— Une clé USB contenant un enregistrement entre Natalia et le chef de l'organisation, ainsi que des photos apportant des preuves.

— C'est sûrement les documents que le commandant Servat avait trouvés et qu'il devait ramener ici ! reprend Djibril.

— Maintenant c'est Kenko qui les détient, avez-vous une idée de qui peut être cet homme ?

— Non, commissaire, mais l'agent Miller le sait, enfin le savait, avant de perdre la mémoire. Nous devons absolument la retrouver et lui faire subir un interrogatoire.

— Un interrogatoire ? J'imagine qu'il sera avec sérum de vérité ! Drôles de méthodes avec vos collègues ! dit Laura d'un air agacé.

— Vous savez lieutenant, l'Amérique est un grand pays avec beaucoup d'ennemis, à l'extérieur comme à l'intérieur. Pour la sécurité de l'Amérique, nous n'hésiterons pas à faire un interrogatoire chimique à un de nos agents. Ce n'est pas un problème, de plus c'est inoffensif pour le corps humain, juste une gueule de bois comme vous dites.

— OK, dit Richard, nous allons vous aider à retrouver votre agent, mais vous travaillerez avec mes hommes, je veux cette ordure, est-ce clair, agent Senders ?

— Oui commissaire.

— Avez-vous une idée de l'endroit où elle peut se trouver à l'heure qu'il est ?

— Euh… Oui, elles ont semé mes hommes en Hollande, à cette heure, elles ne devraient pas tarder à arriver à Paris.

— Et vous comptiez nous le dire QUAND ? grogne Richard.

— Putain, elles sont passées par Amsterdam ! dit Djibril en claquant des doigts.

— Absolument, j'ai posté des hommes à l'aéroport de Schiphol, ils les ont suivis pendant plus de cent kilomètres, mais on ne sait pas par quels moyens elles ont disparu, pfff, volatilisées.

— Quel type de voiture avaient-elles ? demande Laura.

— Une petite Mercedes, une Classe A, mais aussi rapide qu'un avion de chasse…

— Bon, allez, sortez-vous les doigts et retrouvez-moi celui qui a tué mon ami !

— OK patron !

— Non Bridault. Pas toi, tu me laisses ta plaque et ton arme, et tu te casses. Je ne veux plus te voir tant que cette histoire n'est pas finie, et bien sûr je te laisse le soin de prévenir Valérie et Léna !

— Mais patron… Vous ne pouvez pas me faire ça, je suis sur ce dossier depuis le premier jour, je connais Leïla Abassi, je connais William Fouquier, et puis il y a cette femme, Eva Boyle, qui a…

— TAIS-TOI ! Tu me fatigues. Va prendre une douche, et jusqu'à contre-ordre tu es suspendue. Je te rappelle que tu as perdu ton arme dans un pub et que tu aurais dû être avec Rudy aujourd'hui, alors tu disparais, s'il te plaît, disparais. Je dois m'asseoir un peu et réaliser ce qu'il se passe.

Laura fait profil bas, dépose sa plaque et son arme sur le bureau de Richard. Elle a conscience qu'elle a merdé grave, et que c'était « LE JOUR » où elle devait être aux côtés de Rudy. Elle s'en veut tellement, elle n'ose à peine regarder son reflet dans la fenêtre du bureau, juste l'envie de l'ouvrir et de sauter.

Elle quitte le bureau et se dirige vers les ascenseurs, Djibril l'attend discrètement.

— Je suis vraiment désolé pour toi, si je peux faire quelque chose pour t'aider, dis-le-moi.

— Oui, trouve-moi l'adresse des bureaux de Sofiane Abassi. Regarde aussi si tu trouves un moyen de vérifier sa flotte de voitures, ça ne m'étonnerait pas qu'il y ait une Classe A enregistrée. Je suis certaine qu'il est complice dans leur disparition si mystérieuse, c'est un ancien go fast, il connaît des tas de moyens pour semer des Amerloques en costard. Je vais dans le bureau de Rudy, je dois passer un coup de fil.

Djibril ouvre directement son ordinateur portable qu'il ne quitte jamais et commence sa recherche sur Driver and Protec pendant que Laura disparaît dans le bureau de Rudy.

Elle s'assoit à sa place habituelle devant le bureau et prend son téléphone, ses mains, sont tremblantes et moites, elle recherche le nom de Valérie dans son répertoire, respire un grand coup et lance l'appel.

— Allo, Valérie ? C'est Laura…

Quelques minutes plus tard, elle sort du bureau en larmes qu'elle essaye de camoufler, mais impossible, les sanglots trahissent son état. Djibril l'attend et lui communique l'adresse des bureaux de Sofiane Abassi. Il lui confirme qu'il y a bien une Mercedes Classe A dans la flotte de la compagnie, elle lui arrache le papier des mains et le remercie.

— Fais gaffe quand même ! précise Djibril.

— Ne t'inquiète pas pour moi, je ne suis plus flic, désormais j'applique mes méthodes.

Elle regarde l'adresse, c'est à Clichy-la-Garenne à juste dix minutes de la rue du Bastion. Elle décide d'y aller maintenant, elle place dans son holster la deuxième arme de Rudy qu'elle a subtilisé dans le tiroir de son bureau et se dirige vers le parking.

Quelques minutes plus tard, elle se gare en vrac devant les locaux de Drive and Protec. Elle entre en furie dans le bureau de Sofiane qui est au téléphone, elle se jette sur lui, lui plaque la tête sur le clavier de l'ordinateur et pointe son arme sur sa nuque.

— Où sont-elles ?

— Putain, mais QUI ?

— Ta sœur et Victoria !

— Je ne connais pas de Victoria !

— Tu connais ta sœur ? Eh bien la meuf qui est avec elle s'appelle Victoria, alors, OÙ SONT-ELLES ? Je te préviens, je n'en ai rien à foutre, si tu ne parles pas je te bute !

Laura est dans un tel état d'énervement, qu'elle ne repère pas l'ombre du colosse de plus de deux mètres et d'au moins cent cinquante kilos qui arrive derrière elle. Il la ceinture d'un bras et de l'autre lui enlève son arme. D'un geste, il la soulève et la projette avec une force démesurée contre la cloison modulaire, qui vibre comme la peau d'un djembé au contact de Laura. Elle retombe sur les fesses sans même avoir compris ce qui s'était passé.

— Je vous présente Amar, dit Sofiane avec ironie.

Laura reprend ses esprits en se tenant les côtes récemment cassées lors d'une interpellation.

— Va te faire foutre.

Amar amorce son bras pour lui mettre une baffe.

— Non, laisse, je la connais, elle bosse avec Servat. Alors lieutenant, c'est bon, vous êtes calmée ?

— Ouais, mais aidez-moi à me relever, putain !

— OK, mais franchement, vous êtes suicidaire ou kamikaze ?

— Ne fais pas chier Abassi, tu dois m'aider à retrouver Victoria !

— Et pourquoi devrais-je vous aider ?

— Parce qu'elle va se faire tuer, et ta sœur aussi !

— Dites-m'en plus !

— Elles sont vraiment en danger, ce tueur est vraiment dangereux, c'est un professionnel, il ne va pas les rater.

— Servat sait que tu es là ?

— Il est mort, Kenko l'a tué !

— Kenko ? C'est qui ?

— Le putain de tueur qui est aux trousses de ta sœur et Victoria, tu es con ou quoi ?

— Bon, OK lieutenant, si vous voulez que je vous aide, vous allez vous calmer et me raconter toute l'histoire !

— Ta sœur et sa copine sont recherchées par beaucoup de monde. À commencer par ce tueur, Sergeï Kenko, par les flics et par la CIA. Je sais que tu leur as passé une de tes voitures et que tu es en contact avec elles !

— La CIA, mais c'est quoi cette embrouille ?

— Victoria est en réalité un agent de la CIA. Elle a fait un malaise en courant au parc Monceau et depuis elle est amnésique. Elle était sur une enquête de trafic de données industrielles via une agence de rencontre pour la baise, First Lady.

Sofiane réagit en basculant la tête.

— Tu connais ?

— Ouais, Gaby était membre de cette agence, c'est là qu'il rencontrait des femmes pour passer des soirées.

— Il était membre ? Je n'ai aucune trace de cette agence sur ses données personnelles !

— Normal, c'est un de ses fournisseurs de pièces détachées qui payait les cotisations et qui refacturait à la concession.

— C'est le lien avec Natalia et Gabriel, t'a-t-il déjà parlé d'Eva Boyle ?

— Non, mais je l'ai aperçue une fois au garage.

— Écoute Abassi, tu dois me dire où est Victoria !

— Je l'ignore pour le moment, mais vous devez me faire une promesse, mettre ma sœur en sécurité, la police doit la protéger, elle n'y est pour rien dans cette histoire !

Laura baisse les yeux et fait la moue.

— Désolé, mais… j'ai été mise à pied, je ne suis plus flic aujourd'hui !

— Ah ouais… Vous êtes gonflée, vous débarquez ici avec un flingue que vous pointez sur la tête, et tout ça pour me dire que vous êtes virée de la police ! PUTAIN ! hurle Sofiane en frappant un grand coup sur le bureau.

— Écoute, mon boss s'est fait descendre, j'en fais une affaire personnelle. Tu dois me faire confiance et m'aider à retrouver ce mec, c'est la seule façon de mettre ta sœur à l'abri. Je sais que tu leur as prêté une de tes voitures, tu dois pouvoir savoir avec la puce de la voiture l'endroit où elles se trouvent !

Sofiane respire un grand coup, il regarde Amar d'un air dépité.

— C'est ma voiture perso, c'est la seule voiture qui n'est pas pucée, enfin si, mais, c'est le conducteur qui l'active !

Sofiane retourne à sa place derrière le bureau, ouvre le tiroir, prend un téléphone et pianote dessus :

« URGENCE : Vous êtes où ? »

« Autoroute A1, on rentre à Paris. »

« Contacte-moi quand vous êtes là. »

« OK. »

— OK lieutenant, on n'a plus qu'à attendre !

— Appelle-moi Laura, je ne suis plus flic !

— Très bien, Laura, tu veux un café ? Tu as l'air d'en avoir besoin, t'as vraiment une sale gueule.

— Je veux bien, répond Laura en s'assoyant sur la chaise.

Puis elle jette un regard à Amar et lui dit :

— TOI, la prochaine fois, je te défonce !

Amar acquiesce en rigolant et en godillant de la tête.

39
Nouveau marché

Sergeï allume son ordinateur et se connecte au serveur protégé.

« Je avoir récupérer les preuves et la clé USB, mais obliger tuer policier, prix changé, vous devoir augmenter de cinquante mille dollars. »

Quelques secondes plus tard, la réponse du donneur d'ordres apparaît.

« Très bien, bon travail, vous devez me les transférer comme convenu, OK pour l'augmentation du tarif, mais les deux femmes doivent également disparaître ! »

« Cent mille dollars, si tuer aussi les femmes. »

« D'accord, mais je veux les preuves que tu as les documents et qu'il ne restera plus de traces des témoins. »

« OK, je contacte vous quand travail fait. »

40
Secret de famille

Sur l'autoroute A1 en direction de Paris, Gaby regarde la jauge à essence. Il va falloir faire le plein, prochaine station l'aire d'Arras. Il décide de faire une pause, il réveille Leïla. Il prend la sortie, stationne au niveau des pompes à essence, puis fait le plein, ensuite se gare derrière la station. Il s'assure que personne ne l'observe et change la couleur de la voiture.

— Viens, on va boire un café !

Leïla valide cette initiative.

— Et se vider aussi la vessie ! dit-elle avec sourire.

Une fois passée aux toilettes, elle rejoint Gaby aux distributeurs de boissons.

— Sofiane veut qu'on le contacte en arrivant ! dit-il.

— Il t'a dit pourquoi ?

— Non, mais il a commencé sont texto par « URGENCE », ça veut dire qu'il y a un problème !

— Tu veux toujours aller directement chez Will ?

— Oui, on contactera Sofiane une fois arrivés chez William.

Gaby prend une gorgée, puis la recrache dans le gobelet en carton, il vient d'apercevoir la Cadillac entrer sur l'aire de stationnement. Il jette son café dans la poubelle et tire Leïla par le bras.

— Viens, on se casse !

Gaby décide de quitter l'autoroute pour finir le trajet jusqu'à Paris, et sans le savoir, il évite le barrage de police mis en place sur la demande de Richard au péage de Senlis.

C'est vers 17 h que Gaby se gare devant la petite maison de William. Il observe pour s'assurer que personne n'est en poste pour le surveiller, puis il sonne à la porte. Oncle Will ouvre la porte et avec un énorme soulagement, attrape Gaby dans ses bras.

— Dieu soit loué, tu es là, j'étais mort d'inquiétude !

Surpris, il aperçoit Leïla derrière lui.

— Bonjour, Leï, vous… vous connaissez ?

— Oui, il faut qu'on parle, entrons, dit Gaby d'un air grave.

— Très bien, je suis tellement soulagé de te voir, la police est venue, elle te cherche, tu dois repartir en urgence, venez je vais vous préparer un café.

Une fois entré dans la maison, Gaby retrouve tout de suite ses repères. La photo de ses parents sur la commode de l'entrée, le fusil sur la cheminée, et maintenant une photo de lui, posée à côté de l'arme, avec une balle debout positionnée devant. Il remarque également celle de Victoria, enfin, lui aujourd'hui. Comment commencer la discussion, comment lui dire qui il est vraiment, il décide d'appliquer la méthode Ryan et jouer l'amnésie.

— Je suis vraiment désolée, mais j'ai eu un accident, je souffre d'un trouble de la mémoire. J'ai besoin de toi pour retrouver mes repères.

— Oh, mon Dieu, je l'ignorais, asseyez-vous, toutes les deux et prenez un bon café.

— Tu peux me parler de moi ?

— Bien sûr, mais tu ne te souviens de rien ?

— Si, juste des souvenirs flous, rien de bien précis, je suis qui exactement pour toi ?

William laisse tomber sa tasse, et la regarde avec stupéfaction.

— Mais… Tu es ma fille !

Gaby et Leïla se regardent complètement ahuris.

— Pardon ? demande Gaby.

— Tu es ma fille, Victoria !

— Alors Gabriel était mon cousin ?

— Tu ne te souviens vraiment pas ?

— Non, pour la troisième fois, je souffre de trouble de la mémoire alors, dis-moi réellement qui je suis !

— OK, tu es ma fille, et Gabriel était ton frère. J'ai rencontré votre mère en Irak, pendant les années qui ont précédé l'opération Tempête du désert. Nous sommes tombés amoureux. J'ai dû quitter l'Irak en urgence pour une intervention clandestine en Colombie, des otages français à libérer des FARC[7]. Quand je suis revenu, elle avait été démobilisée, je suis rentré en France. Elle est réapparue six mois plus tard, enceinte de huit mois. Elle ne demandait rien, juste que je garde l'un des jumeaux qu'elle portait. J'ai donc proposé à ma sœur et son mari qui eux, ne pouvaient pas avoir d'enfants de prendre en charge un des deux bébés. Ce fut une aubaine pour ma sœur d'avoir un bébé. Nous sommes tous tombés d'accord, ton frère est resté en France et ta mère est repartie avec toi aux États-Unis. Moi j'ai continué ma carrière de militaire et le temps a fait que nos chemins se sont séparés. Tu es réapparue dans ma vie il y a un an maintenant. Ta mère t'a laissé une lettre quand elle est décédée, cette lettre te donnait mon nom et tu apprenais l'existence de ton frère. À partir de ce moment, renouer avec lui est devenu une obsession, mais tu attendais le bon moment pour le contacter, tu voulais finir ton enquête !

— Mon enquête ? Que veux-tu dire par là ?

— Tu travailles pour le gouvernement américain, la CIA !

— Putain, dit Leïla, tu es une espionne ?

— Je n'en sais rien, je ne me souviens pas je te rappelle !

Oncle Will regarde Victoria avec des yeux de père inquiet. Il se lève et va prendre une enveloppe dans le tiroir du meuble, puis la tend à Gaby (Victoria).

---

[7] Forces armées révolutionnaires de Colombie

— Tiens Victoria, je te rends la lettre que tu avais laissée pour ton frère, je ne pourrai plus lui remettre. Je l'ai perdu, je ne veux pas te perdre toi non plus, la police te recherche, une jeune flic est venue, on peut lui faire confiance, je le sens. Il faut te rendre à la police, c'est la seule solution, j'ai peur pour ta vie.

Gaby prend la lettre avec surprise, puis la range dans la poche de son blouson.

— OK, j'ignore encore pourquoi je suis recherchée, mais tu as raison, je vais appeler le commandant Servat, ça te dérange si je le fais venir ici ?

— Non, bien sûr, c'est la bonne solution.

William soupire de soulagement quand la sonnette de la porte retentit.

— Attendez ici, je reviens, j'attendais un colis, c'est sûrement le livreur.

William se lève, sourit de voir sa fille en bonne santé, puis se dirige vers la porte d'entrée.

— Mes parents m'ont menti, je ne suis pas leur enfant, tu te rends compte, oncle Will est en vérité mon père !

— Non Gaby, tes parents restent tes parents, mais il faut que tu acceptes la vérité maintenant. Tu n'as pas le choix, Will est la seule personne de ta famille qu'il te reste. Je pense que tu devrais lui parler de ton transfert dans le corps de Victoria, et j'ai également quelque chose à te dire !

— Je t'écoute !

— Je suis enceinte et…

Leïla a peine eu le temps de finir sa phrase que deux coups de feu retentissent dans l'entrée. Gaby bondit de sa chaise pour aller voir ce qu'il se passe quand il aperçoit la grenade paralysante rouler sur le sol. Pas le temps de se mettre à l'abri, l'explosion retentit dans un bruit infernal et une lumière éblouissante. Gaby et Leïla se jettent au sol, complètement sonnés, impossible de bouger. Gaby essaye d'ouvrir les yeux, tout est trouble, la fumée est dense, et le sifflement dans les oreilles est insupportable. Pourtant il aperçoit une ombre, un homme qui s'approche, il connaît cette allure, c'est la même qu'il a vue lors de son accident. La silhouette se penche sur Leïla, reste immobile quelques secondes, puis se dirige vers lui, il essaye de bouger, mais impossible d'enlever ses mains de ses oreilles, les jambes sont complètement molles, comme paralysées. L'homme est maintenant au-dessus de lui, il porte un casque antibruit et un masque à gaz, comme sur les photos des soldats de la Première Guerre mondiale. Ses pensées se perdent, il appelle péniblement Leïla, mais il ne s'entend pas, juste un grognement comme dans un vieil hygiaphone. L'homme tient quelque chose dans la main, elle s'approche de lui, c'est flou, mais Gaby distingue une seringue, il sent la piqûre dans son cou, puis perd connaissance.

Quand il revient à lui, il est assis à la place avant passager de la Mercedes. Il ne sent plus du tout son corps, mais la vision lui revient petit à petit, l'homme est assis à côté et le regarde, Gaby reconnaît immédiatement l'homme girafe.

— Toi donner code voiture !

— Je ne le connais pas, va te faire foutre.

Gaby reçoit un coup de coude d'une violence extrême, lui cassant le nez, sa tête vient taper la vitre de la portière.

— Toi donner code, ou moi tuer copine à toi !

Gaby tourne légèrement la tête et voit Leïla évanouie sur la banquette arrière, l'homme a positionné une arme sur sa tempe. Gaby comprend qu'elle est vivante, et que l'homme ne plaisante pas, il la tuera s'il ne donne pas le code.

— 2436 #.

L'homme tape le code et fait démarrer le moteur, il regarde Gaby et lui inflige un nouveau coup de coude, il perd connaissance.

41
FR F2

Laura a repris ses esprits et est redevenue calme, Sofiane lui sert un grand café, elle souffre d'une intense douleur dans les côtes qui ont été maltraitées par la force herculéenne d'Amar.

— Et maintenant, que fait-on ? demande Sofiane.

— Attendre que ta sœur et Victoria te rappellent, dis-leur de venir directement ici, moi je vais chez William Fouquier, il a peut-être eu des nouvelles d'elles. Appelle-moi dès que tu as des news.

— OK, mais si Servat est mort, à quel flic on peut faire confiance ?

— En cas d'urgence, tu peux appeler le commissaire Vernon, voilà son numéro.

Laura inscrit les chiffres sur un Post-it posé sur le bureau, récupère son arme encore entre les gros doigts d'Amar, le replace dans son holster et quitte la pièce. Amar l'observe partir, se tourne vers Sofiane et lui dit :

— Jolie fille, tu ne trouves pas, patron ?

— Oui, d'accord avec toi, mais elle a l'air vachement allumée !

— J'aime bien moi, répond Amar en souriant.

— Tu tenteras ta chance plus tard, en attendant va préparer la RS3, prends le fusil à pompe et le pistolet UZI, on ne sait jamais, la fliquette m'a fait flipper avec ce fou de Kenko !

Sofiane ressent une vibration venant de sa montre connectée, il espère que c'est Leïla qui répond à son SMS. Il attrape son téléphone, le déverrouille et regarde l'écran, son regard se fixe, il reste immobile. Amar l'observe avec stupéfaction.

— Ça va, patron ?

— Non, Amar, c'est la merde !

Laura arrive devant chez William Fouquier, elle se gare, tout est éteint et calme, trop calme à son goût, pas la moindre lumière dans la petite maison. Elle prend sa lampe torche dans la boîte à gants et sort de sa voiture, arme au poing, elle avance vers le perron sur lequel elle a vu pour la dernière fois l'ancien militaire. Elle remarque des fragments de bois au sol, puis un morceau de la serrure, aucun doute, la porte a été fracturée avec violence, son rythme cardiaque s'accélère. Que s'est-il passé ? Pourquoi elle se retrouve seule dans cette situation qui lui rappelle celle que Rudy a vécue et qui l'a conduit à la mort. Sauf qu'elle, elle a été mise à pied et qu'elle n'est pas censée être là. Elle pousse doucement la porte, elle sent immédiatement l'odeur de soufre qui sature l'air. Elle avance délicatement, sans faire de bruit, elle n'ose à peine respirer tant l'odeur est forte et tant la peur l'a envahie. Elle continue dans le petit couloir, des traces rougeâtres et visqueuses recouvrent le sol, elle essaye de les éviter en se mettant sur la pointe des pieds. Elle arrive dans le salon et trébuche sur quelque chose de lourd, elle se rattrape pour éviter de tomber. Elle dirige sa torche vers le sol et voit le corps de William Fouquier.

Laura allume et aperçoit la grenade paralysante et comprend qu'elle arrive trop tard. Kenko est déjà passé et que les filles étaient là.

— PUTAIN, fais chier !

Elle décide d'appeler Djibril pour l'informer de sa découverte pour qu'il prévienne la scientifique. Elle aperçoit le fusil FR-F2 de William sur le meuble et la balle à côté du cadre avec la photo de Gabriel. Elle ouvre le tiroir, récupère le percuteur, prend la balle et le fusil.

— Je le ferai pour vous, je vous le promets ! dit-elle en enjambant la dépouille de William.

Laura remonte dans sa voiture quand son téléphone sonne, c'est le commissaire Vernon. « Merde, je suis morte… Djibril a dû le prévenir », se dit-elle. Elle décide de décrocher quand même et Richard hurle à l'autre bout du téléphone !

— Bridault, c'est quoi ce merdier ? T'es où ? Je te rappelle que tu es mise à pied, tu rentres immédiatement au bureau, je veux…

Elle a lui raccroché au nez et compose le numéro de Sofiane.

— C'est Laura, je suis arrivée trop tard, William Fouquier est mort et je pense que Kenko a enlevé ta sœur et Victoria, je suis désolée !

Sofiane lui répond d'une voix grave :

— Je sais.

42
Entrepôt de Goussainville

Gaby reprend petit à petit ses esprits. Il n'arrive pas à bouger, son corps est entravé, il relève péniblement la tête, tout est sombre autour de lui, il fait froid, ça sent une odeur d'huile de vidange. Il entend un goutte-à-goutte à quelques mètres de là, de l'eau qui tombe sur le sol et émet un écho à chaque clapotis. La pièce est grande, très grande. Il constate qu'il est attaché sur une chaise, sa tête est lourde et très douloureuse. Où est-il, où est l'homme, et où est Leïla ?

Il entend comme un gémissement à côté de lui, il tourne les yeux et aperçoit Leïla à côté de lui, elle est également attachée sur une chaise, la situation n'est pas top, mais ils sont en vie.

— Leï ? Leï ? Leïla, réveille-toi, je suis là !

— Ouais Gaby, je t'entends, où on est putain !

— Je l'ignore, nous avons été kidnappés par l'homme de la voiture.

La voix de Leïla est faible, elle a du mal à articuler.

— Tu crois que c'est le tueur qui nous recherche ?

— Désolé de te répondre ça, mais oui, c'est lui.

— Tu crois qu'il veut nous tuer ? J'ai peur Gaby, j'ai peur pour nous et notre bébé !

Leïla fond en larmes.

— S'il voulait vraiment nous tuer, ce serait déjà fait, il faut garder confiance, Sofiane doit être en train de nous chercher. Je ne sais pas exactement où nous sommes, mais à proximité d'un aéroport. J'ai entendu un avion passer à basse altitude, vu l'heure qu'il doit être, nous sommes à proximité de Roissy, c'est le seul qui reste ouvert la nuit.

— Mais comment Sofiane saurait-il où nous sommes, nous ne le savons pas nous-mêmes !

Gaby n'a pas le temps de répondre que la grande porte coulissante s'ouvre, provoquant un grincement strident. La lumière pénètre en faisant apparaître l'ombre de Sergeï au milieu de l'ouverture. Il tient un sac de sport dans la main droite et une arme dans la gauche, il s'approche en faisant claquer volontairement ses prothèses contre le sol en ciment. Il y a une table dans un coin, il s'en approche, pose son sac, l'ouvre et en sort deux récipients, des saladiers, puis un étui tout en longueur. Il pose le tout sur la table, se tourne, regarde dans la direction de Gaby et Leïla et s'approche. Toujours avec son accent russe, il dit :

— Bonjour Victoria, ravi de rencontrer toi enfin, toi es très dure à trouver.

— Mais qui vous êtes, que me voulez-vous ?

— Moi rien avoir contre toi et amie, moi juste travail, moi être payé pour attraper toi, et toi me dire s'il y a encore autres preuves ?

— Quelles preuves ? De quoi vous parlez, je ne comprends rien !

Le téléphone de Sergeï se met à sonner.

— Allo ? Da, moi avoir filles, enveloppe posée comme prévu, vous faire virement maintenant !

Sergeï reste un moment silencieux, on entend faiblement la voix de son interlocuteur qui a l'air énervé, mais inaudible.

— OK, très bien, je attendre ordre de virement sur mon téléphone et moi exécuter contrat !

Il reste encore un moment silencieux et répond :

— Da, bien, au revoir, Monsieur Boyle !

— C'était Robert Boyle ? Le mari d'Eva Boyle ? demande Gaby étonné.

— Toi très bien savoir qui veut tuer toi, toi être bon agent de la CIA !

Sergeï s'éloigne et rejoint la table, il ouvre l'étui en cuir et en sort son cimeterre. Il observe le fil de la lame, puis prend une pierre à aiguiser dans le sac, positionne son sabre sur-le-champ et avec une dextérité déstabilisante, commence à frotter la pierre contre le taillant de la lame.

Gaby et Leïla ont compris que dès qu'il reçoit le signal du virement bancaire, il honorera son contrat en les exécutant. Sergeï est calme, une fois son affûtage terminé, il positionne son sac sur un crochet, le laisse pendre, s'éloigne, et a une vitesse surhumaine, tranche le sac en deux. Leïla pousse un hurlement, faisant sourire Sergeï.

— Toi pas inquiète, moi vrai professionnel, toi pas souffrir, mais qui passer en premier ?

— Va te faire foutre ! répond Leïla.

— OK, toi passer en premier !

Il éclate de rire. Soudain un signal sonore retentit de son téléphone, il scrute l'écran et le range dans sa poche.

— Bon… très bien, lui avoir payé.

Il vient se positionner devant Leïla, sourire au coin de la bouche. Elle frissonne, elle pleure, le supplie de ne pas faire ça, mais il se met à bonne distance, arme son bras, elle ferme les yeux. Gaby le supplie à son tour, il n'entend plus rien, il est en mode tueur, plus aucune empathie, le mercenaire est de retour. Il respire un grand coup, remue la tête comme un boxer avant un combat et…

Gaby entend un sifflement suivi d'un choc. Il imagine la tête de son amour roulant au sol. Il ouvre les yeux et pourtant, le tueur est là, debout, son sabre a la main, une pointe métallique sort de son front, son regard est figé. Il bascule sur le côté et s'écrase au sol, laissant le champ de vision libre à Gaby et Leïla. Sofiane est derrière, debout, son arbalète encore en position de tir.

— Désolé d'être en retard, mais il y avait du monde sur le périph.

Gaby lui sourit.

— Jamais été aussi content de te voir, ma poule.

— Alors, la touche dièse qui reconnaît si c'est ou pas un chauffeur connu et déclenche la géolocalisation ? Tu en penses quoi ? demande Sofiane d'un air vainqueur.

— Je ne sais toujours pas de quoi vous parlez, dit Leïla, mais mon frère, JE T'AIME.

Laura arrive quelques minutes plus tard dans l'entrepôt, accompagnée d'une escouade du RAID, Amar lui fait un énorme sourire.

— Désolé, Mademoiselle, de vous avoir jetée contre le mur !

— Pas de problèmes Amar, si un jour j'ai besoin d'un garde du corps, je t'appelle, promis !

Amar baisse la tête en rougissant.

43
Lettre de Victoria à Gabriel

La police scientifique est affairée sur le cadavre de Sergeï qui gît sur le sol en béton. La perforation du crâne par la flèche de l'arbalète rappelle ces casquettes que l'on trouve un peu partout en période d'Halloween, un couteau qui traverse la tête avec deux coulures de sang de chaque côté. Un des flics du RAID a quand même, malgré l'opposition de Laura, passé les menottes à Sofiane en justifiant que c'était la procédure, il l'a quand même félicité pour sa performance à l'arbalète.

Gaby et Leïla ont été conduits à l'extérieur où les attendaient deux ambulances pour l'hôpital le plus proche, comme l'oblige la procédure encore une fois.

Gaby plonge la main dans sa poche de blouson et en sort la lettre de Victoria. Il la porte à son nez enflé et déformé par les coups du tueur, comme pour sentir son odeur, le parfum de sa sœur, ce qui le fait sourire, parce que désormais, il est physiquement sa sœur. Il ouvre l'enveloppe, sort le papier et le déplie, il découvre l'écriture de sa jumelle, la forme des lettres est quasiment identique à sa propre écriture, la fusion des jumeaux est vraiment réelle. Il commence à lire…

Cher Gabriel, mon cher frère.

Si tu lis cette lettre, c'est que la vie aura posé son veto sur notre rencontre et que je ne suis plus. Je suis atteinte d'une maladie orpheline qui peut me plonger dans une mort cérébrale à tout moment, et j'ai eu deux alertes dernièrement, j'ai peur que le temps me soit compté. Maman, Maggie, ta mère biologique, m'a communiqué le nom de mon père William Fouquier et m'a fait part de ton existence juste avant de nous quitter. Même si ce fut une surprise, j'ai toujours su que je n'étais pas seule, j'ai toujours su que j'étais accompagnée par une force double. Que cet ami imaginaire était plus que de l'invention infantile d'une petite fille. Cette découverte m'a permis également de comprendre ces cauchemars qui ont troublé mes nuits depuis que je suis petite. Cette salle d'accouchement et de l'enfant que l'on sépare de sa mère, cet enfant n'était autre que toi.

Je vais essayer de te parler un peu de moi, de mon existence, de ma personnalité, de la sœur que j'aurais voulu être à tes côtés. J'ai eu une enfance plutôt heureuse malgré les absences répétées de maman qui partait en mission. C'est sa sœur, Cassie qui s'occupait de moi. Elle était très douce et gentille, c'est elle qui me consolait quand je me réveillais en pleurs. Elle a été une bonne deuxième mère.

Maman a pris sa retraite à quarante ans, elle est enfin restée à mes côtés. Nous avons essayé de rattraper le temps perdu, malheureusement, ce fut de courte durée. Toutes ces années passées sur les terrains opérationnels, comme elle disait, ont fragilisé son corps, et elle n'a pas survécu au Covid-19, c'est la seule fois où j'ai vu notre mère perdre un combat. J'ai appris que tu avais également perdu tes parents adoptifs prématurément, j'en suis désolée.

J'ai hérité de nos parents le goût de l'aventure et du risque. J'ai suivi une formation militaire pour entrer à « Centrale Intelligence Agence », la CIA comme on dit plus couramment, je me suis spécialisée dans l'espionnage industriel.

Je te dois quelques explications sur ma présence actuelle en France. J'ai vu ton nom « Gabriel Declerc » il y a six mois dans une affaire de vol d'informations militaires américaines à Paris via cette agence de rencontre « First Lady » dont tu es adhérent. Il apparaissait que tu rencontrais régulièrement la personne que nous soupçonnions d'être une taupe, Natalia Ivanenko, ce qui faisait de toi un suspect de premier rang. J'ai demandé qu'on me confie cette enquête, sans dire que j'avais un intérêt familial avec un des suspects. J'ai réussi à convaincre Natalia d'aider la CIA à identifier le boss de cette organisation criminelle. Mais je devais également prouver que tu n'étais en aucun cas impliqué dans cette histoire. J'ai honte, mais je t'ai suivi jour et nuit, pris en photos, j'ai espionné tes comptes bancaires, personnels et professionnels. Je t'ai mis sur écoute, j'ai détourné ta boîte mail. Je dispose aujourd'hui d'éléments prouvant ton innocence et d'autres inculpant Robert Boyle. Je dois remettre mon rapport à mes supérieurs dans deux semaines. Mais je préfère assurer tes arrières et je t'ai déposé un double du dossier dans la consigne C256 de la gare du Nord, le code est notre date de naissance. Ces documents seront à remettre à John Senders, il est à l'ambassade des États-Unis à Paris et si tout se passe bien, je récupère cette lettre et viens me présenter à toi.

J'ai hâte d'entrer dans ta vie et que tu entres dans la mienne, William m'a dit que tu étais un garçon génial et que je devais ne plus perdre de temps.

J'espère sincèrement que tu n'auras pas à lire cette lettre.

Je t'embrasse fort.

Victoria, ta sœur.

PS : J'adore ton amie, Leïla !

44
Cimetière d'Issy-les-Moulineaux

Laura se gare devant le cimetière. Elle sort de la voiture pour rejoindre le cortège qui accompagne Rudy à sa dernière demeure, essentiellement des flics sont présents aux obsèques. Elle se glisse dans la file, à côté de Richard Vernon. Elle aperçoit Léna et Valérie en tête de colonne, le silence est pesant, on entend uniquement le bruit des pas sur les gravillons de l'allée dont on a passé récemment le râteau pour l'occasion.

— J'ai eu peur que tu ne viennes pas, dit Richard calmement.

— J'ai hésité, même si la moitié du Bastion me tient pour responsable de la mort de Rudy. Léna m'a appelée pour me demander d'être présente, alors, que tout le monde aille se faire foutre. Rudy était comme mon père, et vous le savez !

— Oui Laura, je le sais, Rudy me parlait souvent de toi, il te protégeait, il te chérissait, il ne voulait que ton bonheur, et je dois avouer qu'il avait raison sur un point, tu es un super flic.

— Merci commissaire, mais je ne suis plus flic !

— Si, j'ai obtenu ta réintégration au sein de la Crim', tiens, prends ! dit Richard lui tendant sa plaque et son arme.

— Merci commissaire, mais, pour ce qui est de l'enquête, Boyle avait toujours une longueur d'avance, qui le renseignait ?

— Le cul !

— Pardon ?

— Tu as bien compris, c'est le cul, il s'envoyait en l'air avec une membre de notre magistrature via First Lady et il lui tirait les vers du nez sur l'oreiller !

— Quelle membre ?

— F1425, la juge Delerme. Apparemment, elle cause beaucoup pendant un orgasme, elle a été démise de ses fonctions, pour l'instant ça reste caché, mais pour combien de temps ?

— Et Robert Boyle ? La CIA en est où avec lui ?

— Le dossier que Victoria avait laissé dans la consigne de la gare du Nord a pu apporter les preuves que Boyle était le fondateur de l'agence First Lady. Il a eu l'idée de créer cette agence pour garantir la discrétion à la haute société libertine. Il s'est très vite rendu compte que ses adhérents faisaient partie de l'élite, gros industriels, politiciens, militaires et autres ambassadeurs. Pendant les rencontres, l'invité entrait dans l'antre secret de l'hôte ou de l'hôtesse, laissant ainsi accès à la caverne d'Ali Baba. Au début, il informait des cambrioleurs sur la présence de tableaux ou d'œuvres d'art, mais également des secrets industriels, d'États et même militaires. Il ne manquait plus que la mise en place d'espions et le tour était joué. Il avait implanté une véritable petite armée au sein de cette machine à baise, et revendait au plus offrant.

Il a recruté Natalia Ivanenko quand elle était encore leur baby-sitter, apparemment elle avait du talent. Elle était devenue sa meilleure agente, jusqu'à ce que Victoria l'ait convaincue de travailler pour la CIA.

— Mais comment a-t-il découvert que Natalia était une taupe si elle était sous la coupe de la CIA ?

— Bréand, c'est à cause de Sebastian Bréand. Le notaire avait découvert le secret de Natalia. Ce con a cru pouvoir faire chanter Boyle, en faisant ça, il a mis à jour le double jeu de Natalia. C'est là que Boyle a paniqué et a passé un contrat avec Kenko, pour récupérer les preuves que Natalia avait à propos de son business et la faire disparaître, elle et Bréand.

— Et pour Declerc ? Il n'y était pour rien dans cette affaire !

— Effectivement, la seule erreur qu'il a faite est de donner du plaisir à la femme de Boyle, Eva. Elle a fait part à son mari qu'elle avait passé un super moment avec ce membre. Mais malgré leur état d'esprit libertin, il était jaloux de cet homme qui a fait décoller sa femme, et comme il avait un tueur sous la main, il s'est débarrassé de celui qui allait devenir l'amant.

— On m'a dit que Robert Boyle s'était réfugié dans une résidence de l'ambassade d'Iran à Paris et que le gouvernement américain négociait son échange, c'est vrai ?

— Comment tu sais ça, toi ?

— Je suis un bon flic, c'est vous qui l'avez dit !

— Oui, quand nous avons voulu l'appréhender, encore une fois il était prévenu de son arrestation. Il s'est planqué chez un de ses amis de l'ambassade d'Iran, sa mère étant d'origine iranienne, Téhéran refuse son extradition, pour l'instant il est sous haute surveillance et tenu à résidence.

— Je vois, encore une ordure qui va s'en tirer. Et sa femme, Eva ?

— Apparemment elle ignorait tout des trafics de son mari, pour l'instant elle est sous contrôle de la CIA, elle devrait être bientôt libérée sous bracelet, mais elle peut dire adieu à sa carrière à la télévision !

— Victoria ?

— Les experts prétendent qu'elle a eu comme un « bug encéphalique », une amnésie totale de sa vie et un report sur l'identité et personnalité de son frère jumeau. Elle est entre les mains de la CIA.

La cérémonie d'enterrement touche à sa fin, le cercueil a été placé dans la tombe et c'est le moment des condoléances. Laura se présente devant Léna qui a sa grande surprise la prend dans ses bras et la serre fort.

— Merci d'être venue !

Laura regarde le bidon de Léna et lui demande avec un sourire timide :

— C'est pour quand ?

— Dans trois mois, c'est un garçon, nous allons l'appeler Rudy.

Laura n'arrive pas à cacher ses larmes et disparaît dans la foule. Elle rejoint sa voiture, essuie ses yeux, ouvre le vide-poches et prend une enveloppe en papier kraft, l'ouvre légèrement et renifle discrètement dedans. Elle repose l'enveloppe et fait démarrer sa voiture, elle tape une adresse sur l'application Waze et se met en route. Une demi-heure plus tard, elle arrive au 8 rue Bellini, dans le 16e arrondissement, se gare en vrac, comme à son habitude. Elle ouvre le coffre, prend un sac de sport, puis se dirige vers l'entrée de l'immeuble. Elle regarde le gardien, lui montre sa plaque et lui donne un billet de cent euros. Il lui remet une clé, tout se passe sans un mot, elle prend l'ascenseur jusqu'au dernier étage, traverse le couloir de l'escalier de service et gravit les dernières marches. Elle ouvre la petite porte métallique qui permet d'accéder à la toiture, referme la porte derrière elle, puis se dirige vers l'acrotère. Elle pose son sac, l'ouvre et en sort le fusil William. Elle déplie le trépied, repositionne le percuteur, puis la lunette longue portée. Elle fouille dans sa poche et en sort la balle qu'elle avait récupérée près de la photo de Gabriel, elle l'insère dans la chambre et arme le fusil. Elle prend ses AirPods, programme AC/DC sur son téléphone et met le volume a fond, c'est la chanson *Back in Black*. Elle s'allonge sur le shingle, se positionne et regarde dans la lunette. Elle règle la netteté et dirige le canon vers un immeuble situé en contrebas rue Louis-David. Elle se fixe sur un magnifique appartement avec toit-terrasse, elle patiente quelques minutes avant que n'apparaisse Robert Boyle. Un verre dans la main droite et un cigare dans la gauche, il s'assoit sur une chaise longue. La petite croix de la visée se positionne sur la tête de Boyle, elle savoure ce moment, l'ordure responsable de la mort de Rudy est là, au bout du canon du fusil de William. Juste une pulsion sur la gâchette suffit pour les venger. Le titre *Back in Black* est terminé, maintenant c'est la cloche de *Hells Bells* qu'elle entend dans ses écouteurs, et juste au moment où Angus Young commence à gratter sa Gibson SG. Elle appuie sur la détente. Une flammèche accompagne la balle qui sort du canon, elle bloque sa respiration, comme pour guider le projectile dans sa course qui atteint sa cible en un fragment de seconde. La tête de Boyle éclate littéralement en projetant des morceaux sur toute la baie vitrée qui est à proximité.

Laura range tranquillement le matériel, redescend de la toiture, reprend sa voiture et rentre chez elle. Une fois arrivée, elle se sert un café, elle pose une photo de Rudy à côté de celle de son frère puis s'assoit à la table de la cuisine. Elle prend son arme de service, la positionne sur sa tempe, respire un grand coup et appuie sur la détente.

45
Un an plus tard

Gabriel Declerc est définitivement mort. Après une année de démarches administratives et plusieurs tests ADN, Victoria Muller a pu faire valoir ses liens de parenté avec William Fouquier et Gabriel Declerc. Elle est devenue officiellement franco-américaine et l'héritière légitime de la maison de William, l'appartement de Gabriel ainsi que la concession automobile du 16e arrondissement, dont elle a laissé la gestion à Stéphanie. Afin de pouvoir prendre du recul sur toute cette histoire, Victoria et Leïla ont décidé de s'installer au calme dans la maison de Lamorlaye. Maintenant qu'elle a trouvé l'amour, Leïla a décidé de démissionner, fini pour elle ce monde de requins et elle s'est aussi éloignée de l'univers tumultueux des nuits parisiennes. Elle a pour projet de monter un petit cabinet d'avocat et de se spécialiser dans la maltraitance des femmes.

La CIA a fait passer plusieurs interrogatoires au Pentothal à Victoria avant d'admettre son amnésie générale. John Senders lui impose une visite tous les six mois pour s'assurer que son « espionne » ne devienne pas une source de secrets d'État en liberté. Il lui a avoué que lors de son dernier interrogatoire sous substance chimique, ils lui ont implanté une puce, histoire de garder un œil sur elle, ce qu'elle a dû accepter contre sa liberté et sa tranquillité.

Victoria respire un grand coup avant d'entrer dans la petite ville de Portmagee. Leïla est endormie comme d'habitude. Victoria retrouve très facilement le chemin qui conduit chez Ernest Ryan. Elle se gare devant la maison blanche, Napoléon est là, fidèle à son poste. Il se redresse, remue la queue et aboie, juste une fois, pour prévenir son maître. Victoria sort de la voiture, et s'agenouille pour accueillir le griffon. Elle entre immédiatement en communion avec le sol, elle retrouve cette sensation de bien-être, comme si la terre absorbait le mauvais et la remplissait de bon, un peu comme John Coffey dans *La Ligne verte*, de Stephen King.

— Bonjour le chien, je suis ravie de te revoir, dit-elle en le caressant sur la tête.

Leïla sort de la voiture en s'étirant et en s'habillant. Elle ouvre la porte arrière et en sort un couffin.

— Viens mon chéri, on va te présenter James Panoramix !

Ernest Ryan apparaît dans le chambranle de la porte, élégant et classe, comme à son habitude.

— Bonjour Gabriel, ou bien dois-je dire Victoria ?

— Victoria ! Gabriel n'est plus, je suis désormais Victoria et ravie de vous voir, dit-elle en s'approchant pour l'étreindre.

— Moi aussi je ravi de vous revoir toutes les deux, ou plutôt tous les trois ?

— Oui, reprend Leïla, je vous présente notre fils, William.

— Mais que faites-vous ici ? demande Ernest.

— Nous avons loué une petite maison près du port, nous allons rester quelque temps en Irlande, et j'ai encore besoin de vos conseils, et de votre science, si ça ne vous dérange pas bien sûr !

— Non, Victoria, vous serez toujours la bienvenue, vous et votre famille, évidemment. Allez, entrez, il commence à faire froid !

Une fois dans le logis d'Ernest, Leïla retrouve naturellement sa place à table, elle pose le couffin et prend William dans ses bras. On peut voir instantanément la mère attentive et protectrice qu'elle est devenue. Victoria s'approche de la cheminée et observe une photo de Ryan et de sa femme.

— Vous ne nous avez pas parlé de votre femme ? dit-elle d'un air intéressé.

— Oh, oui c'est vrai. Il faut dire que la dernière fois que nous nous sommes vus, vous étiez dans une autre recherche que la compassion d'un veuf ! Elle s'appelait Élisabeth, comme je vous l'ai dit, elle était française, je l'ai rencontrée à Lyon pendant une conférence, malheureusement elle est morte du cancer du sein il y a cinq ans.

— Je suis vraiment navrée ! répond Victoria.

— Alors Victoria ? demande Ernest, quelle est cette question qui vous perturbe tant ? Pourtant, je vous sens parfaitement apaisée !

— Victoria… Enfin moi… j'ai laissé une lettre pour Gaby, enfin pour moi, bref vous me comprenez. Dans cette lettre, Victoria, dit à Gaby qu'elle l'a espionné, épié, physiquement et informatiquement pour son enquête, et je me demande si… enfin y a-t-il eu réellement transfert, et si Victoria, moi, n'avait pas tout simplement gardé en mémoire uniquement les informations qu'elle avait accumulées pendant l'enquête qu'elle a menée sur Gabriel !

— Très intéressant, c'est une question très intéressante. Vous voulez dire que Victoria a complètement oublié sa vie pour retenir uniquement celle de son frère ?

— Oui, je me pose la question !

— Et pourquoi cherchez-vous une réponse, tout est rentré dans l'ordre pour vous ?

— Oui, presque, mais ma vie a changé depuis la naissance de William, je me sens responsable. J'ai désormais peur pour lui, j'ai peur pour Leï, j'ai peur de basculer dans l'autre sens, et si Victoria revenait ? Si Victoria reprenait son identité, son job à la CIA, et à ma connaissance, Victoria n'était pas amoureuse de Leïla !

— Avez-vous déjà rencontré un autre walk-in depuis votre transfert ?

— Non, pas à ma connaissance !

— Alors, vous serez fixée le jour où vous verrez dans le regard d'un être, une autre personne. Les walk-ins se reconnaissent !

Victoria reçoit la phrase d'Ernest avec déception. Elle souhaitait une réponse moins énigmatique. Elle lui sourit puis se dirige vers Leïla qui est en train d'allaiter le petit William, quand elle aperçoit le griffon assis à côté d'eux, le regard fixé sur la maman et son bébé. Victoria s'approche, observe Napoléon dans les yeux sous le regard attentif du professeur Ryan, elle se baisse, se fige et tend sa main au griffon qui lui, tend sa patte, leurs regards se mélangent !

— Bonjour, Élisabeth, ravie de vous rencontrer !

— Ouaff.

Imprimé en France
Achevé d'imprimer en janvier 2024
Dépôt légal : janvier 2024

Pour

Le Lys Bleu Éditions
40, rue du Louvre
75001 Paris

Printed in Great Britain
by Amazon

56299177R00145